LA PERSONNALITÉ
DE L'ABUSEUR SEXUEL

Du même auteur:

La quête de l'objet. Pour une psychologie du chercheur de trésor. Montréal: Hurtubise HMH, 1985.

(Avec R. Pelletier et J. Beaudry, Eds.) *Psychothérapie psychanalytique* ← *Psychanalyse.* Montréal: Éditions du Méridien, 1988.

Hubert Van Gijseghem

LA PERSONNALITÉ
DE L'ABUSEUR SEXUEL

TYPOLOGIE À PARTIR DE L'OPTIQUE PSYCHODYNAMIQUE

MÉRIDIEN
PSYCHOLOGIE

Données de catalogage avant publication(Canada)

Van Gijseghem, Hubert, 1941 —
La personnalité de l'abuseur sexuel: typologie à
apartir de l'optique psychodynamique

Bibliogr.: p. 165

ISBN 2–920417–45–2

1. Délinquants sexuels — Psychologie.   2. Crimes sexuels —
Aspect psychologique   I. Titre.
RC560.S47V36 1988   157'.7   C88—096418—9

COUVERTURE: Dessin inspiré d'une œuvre de B. Rogers,
réalisé par Rosalie Van Gijseghem.
Conception graphique: Jean-Marc Poirier

© Éditions du Méridien — 1988

Dépôt légal 3e trimestre 1988 — Bibliothèque nationale du Québec

Imprimé au Canada

J'aimerais remercier tous ceux grâce à qui la réalisation de ce travail fut possible. Les collègues suivants ont contribué à la constitution de l'échantillon d'abuseurs: René DeGroseillers, Monique Jumelle-Kouakou, Louise Nadeau, Sylvie Rose et particulièrement Robert Denis qui m'a fourni un matériel clinique éminemment riche. D'autres collègues ont fait une première lecture du manuscrit et, par leurs remarques éclairées, ont contribué à son amélioration. Il s'agit de Louisiane Gauthier, Henri Mercier et Guy Payant. Ma gratitude va également à Édouard Beltrami pour son aide concernant la partie *Troubles organiques et déficience mentale*. Enfin, mon style barbare a été revu et révisé par Suzanne Bournival, Louise Lacroix et Andrée LeBlanc. J'aimerais remercier aussi le département de Psycho-éducation de l'Université de Montréal, et non le moindrement ses secrétaires dévouées pour la qualité de leur support.

INTRODUCTION

Quel est l'intérêt de dresser une «classification» de l'abuseur sexuel? Dans beaucoup de milieux, en effet, on évite aussi bien diagnostic que typologie pour les raisons qui sont bien documentées par une «labeling théorie» et autres courants anti-psychiatriques. On croit, entre autres choses, que toute étiquette apposée l'est aux dépens de l'individu et ne fait point justice à la singularité de celui-ci. Tout en reconnaissant les dangers d'une typologie construite au nom d'une pure satisfaction de l'esprit «classificateur», nous sommes de ceux qui continuent à croire en la nécessité du diagnostic. Dans l'optique de ce travail, nous voyons en effet le diagnostic moins comme un exercice pour «compléter un dossier» que comme un effort d'articuler une hypothèse de travail. Le clinicien n'est pas au service de l'archiviste. Il est au service de l'individu en besoin d'aide, de la société en besoin de protection, et, bien sûr, ultimement au service d'une science qui a pour but de comprendre un phénomène. Celle-ci, à son tour, devra être au service de ce même individu et de cette même société.

Trop souvent, la pure description d'un «cas» ne reste qu'anecdote qui ne permet point l'élaboration d'un plan de traitement et n'aboutit pas sur un jugement quant à, par exemple, la dangerosité future de l'abuseur. Un diagnostic situe le patient en ce qui concerne le sens de son geste et peut donc mieux déterminer si ce geste est essentiel à sa survie ou s'il relève de l'accident de parcours ou s'il est relié à une situation ponctuelle. Encore faut-il distinguer entre diagnostic et diagnostic. Il y a le diagnostic qui ne s'intéresse finalement qu'à l'addition d'un nombre de symptômes, peu importe le sens de ceux-ci. Ainsi, à titre d'exemple, le DSM (American Psychiatric Association, 1980) énumérera un nombre de symptômes comme «typiques» à telle ou telle entité nosologique et proposera au clinicien un exercice mathématique. Ce n'est pas ce genre de diagnostic que nous avons ici à l'esprit. Celui que nous prônons, et qui a davantage de connivences avec la psychologie dynamique, s'attarde, non pas à l'addition des symptômes, mais à leur sens dans l'entreprise de survie d'un individu. Les moyens utilisés pour exprimer ce diagnostic sont moins l'observation *in vitro* du patient que la lecture de la texture et de la qualité du contact qu'établit celui-ci avec le clinicien. On ne peut donc point faire l'économie d'un regard — *in vivo* — sur les éléments transférentiels et contretransférentiels du contact entre patient et clinicien. Ce n'est que là, en effet, qu'on saisira le sens de l'agir-symptôme que présente l'individu que nous tentons de comprendre. Ce n'est que là aussi que peut naître le diagnostic, non pas comme étiquette, mais comme hypothèse de *travail*.

Or, quel est le «travail» auquel aspire le clinicien? Il y a premièrement le travail de la cure — s'il y a lieu. Point de cure sans objectif. Point d'objectif sans diagnostic.

Un exemple clinique s'impose ici. Supposons que le patient déclare: «je ne vaux rien!» Rapidement, et selon tous les bons manuels, le clinicien parlera ici d'autodévalorisation. Or, on retrouvera l'autodévalorisation comme symptôme de bon nombre d'entités nosologiques et, qui plus est, exprimée tout à fait de la même façon: «je ne vaux rien». C'est là qu'il devient crucial de saisir le sens de cette expression, ou, plutôt, de connaître la dynamique profonde dont elle est tributaire, puisque c'est de cette information que dépendra l'action du clinicien. S'il sait que l'auteur de la phrase est porteur d'un caractère névrotique-hystérique (ce qui est souvent le cas) il saura en même temps qu'il pourra, s'il y a lieu, donner un certain réconfort sans pour autant interférer avec le processus thérapeutique ou sans mettre plus en danger l'équilibre de l'individu. Si toutefois cette même phrase «je ne vaux rien» est dite par le dépressif (ce qui est également souvent le cas), le clinicien saura qu'il ne peut rassurer sans augmenter, chez son patient, une culpabilité possiblement déjà d'ampleur critique. Dans ce cas, ce clinicien aurait donc à s'abstenir scrupuleusement de toute remarque pouvant creuser l'écart entre le «bon objet» (qu'il devient lui-même, en rassurant) et le moi-coupable de son patient. Si ce clinicien ne respecte pas cette règle, il peut avoir à composer avec un acte autodestructeur massif de la part de son patient. Pour donner un troisième exemple, si cette plainte «je ne vaux rien» est exprimée par le psychopathe, le clinicien, pour peu qu'il ait des visées thérapeutiques, pourrait choisir de la lui confirmer!

Voilà donc le même symptôme ayant un sens extrêmement différent selon la personne qui le présente: chez l'hystérique, il tire son sens d'un sentiment de castration, chez le dépressif, d'un besoin d'expier, chez le psychopathe d'un «état-zéro» recelant, malgré tout, la toute-puissance. Le «travail» thérapeutique ne pourra point faire l'économie d'une compréhension de ce sens sans mettre sérieusement en danger l'atteinte de ses objectifs.

C'est dans cette optique que nous faisons notre effort typologique. Dans un chapitre faisant l'inventaire d'autres typologies proposées dans la littérature *ad hoc*, nous aurons l'occasion de confronter notre point de vue et, s'il y a lieu, de souligner ses particularités, mérites et faiblesses. Disons tout d'abord que plusieurs autres typologies partent, non pas de la motivation intrinsèque de l'abuseur, mais de la phénoménologie (descriptive) de l'acte posé. Sans sous-estimer le mérite de cet angle d'étude, il nous paraît néanmoins trop anecdotique et trop centré sur l'apparence du symptôme, donc, trop centré sur l'aspect manifeste de celui-ci et faisant fi de sa signification cachée. Il nous semble que, en partant de cet angle, le praticien peut se trouver dans le piège du «je-ne-vaux-rien» aux multiples significations.

DÉFINITIONS

Quand on parle d'abuseur sexuel, on réfère habituellement à l'adulte qui se rend coupable d'un abus sexuel sur un enfant. Or, il reste important de s'entendre sur le contenu des termes. Ainsi, la seule notion *d'abus sexuel* peut rester ambiguë à défaut d'une définition claire. Cependant, quelques conditions fondamentales pour qu'on puisse parler d'abus sexuel semblent faire l'unanimité parmi les auteurs. Ainsi, l'abuseur est significativement plus âgé que l'enfant (la différence d'âge mentionnée étant d'au moins cinq ans); l'abuseur est en position d'autorité, de contrôle ou de pouvoir vis-à-vis de l'enfant; l'enfant est utilisé dans le but d'une stimulation sexuelle chez l'abuseur ou chez une autre personne (par exemple: Fritz, Stoll et Wagner, 1981; Blumberg, 1978; Bourgeois, *et al*, 1979; Chapman et Gates, 1978; Meiselman, 1979; Spencer, 1978; Van der Mey et Neff, 1982, Sgroi *et al*, 1982; etc.). Quelques auteurs (par exemple: Brant et Tisza, 1977; Sgroi, 1982) soulignent que pour qu'on puisse parler d'abus sexuel, la stimulation que subit l'enfant doit être inappropriée à son âge ou à son niveau de développement sexuel. Cet ajout nous semble inadéquat puisqu'il laisse ouverte la discussion concernant la question à savoir ce qui est approprié ou non, à tel ou tel âge. La définition proposée par Finkelhor (1984) nous semble de prime abord la plus utilisable. Dans cette acception, que nous résumons, il y a abus sexuel lorsqu'il y a contact sexuel entre un enfant et un adulte, peu importe qui a initié la rencontre, qui en retire les satisfactions ou quelles en sont les conséquences. Finkelhor y ajoute qu'un contact sexuel en est un qui implique les parties génitales (de la victime, de l'abuseur ou des deux). Il importera de revenir sur cet ajout plus loin.

La définition de Finkelhor coïncide dans son esprit avec celle proposée par le Comité de la Protection de la Jeunesse (1984) qui voit l'abus comme la situation où un enfant est forcé ou entraîné dans une relation sexuelle complète ou incomplète; où il y a utilisation d'un enfant en vue d'une gratification sexuelle; où il y a permission d'un adulte à une autre personne pour utiliser l'enfant en ce sens; où il y a activité sexuelle planifiée ou non d'un partenaire plus âgé, connu ou non, avec un enfant privé de ses droits humains de décider s'il veut participer à cette activité sexuelle. Cette définition laisse toutefois floue la question de l'éventuel consentement de l'enfant que nous traiterons plus loin.

Il est sans doute important de spécifier ici que, tout au long de cette étude, nous utilisons le terme «abus sexuel» plutôt que «agression sexuelle». En fait nous considérons ces deux termes comme synonymes, même si plusieurs auteurs font grand cas d'une présumée distinction qualitative entre les deux.

Le terme *adulte* réfère à la personne de dix-huit ans ou plus avec ou sans lien de parenté avec l'enfant. Finkelhor souligne néanmoins qu'une différence d'âge de cinq ans, même si l'instigateur n'est pas «adulte» constitue pour la victime un abus. *L'enfant*, du moins dans le contexte mis en scène par cette étude, est l'enfant prépubère.

L'abus sexuel dont il est question ici porte aussi bien sur celui impliquant des membres d'une même famille («abus intrafamilial» ou son synonyme, «l'inceste») que sur celui impliquant des personnes n'appartenant pas à la famille immédiate («abus extrafamilial»). Dans ce dernier cas, l'abuseur peut être connu ou non de l'enfant.

Quant à la définition de l'abus intrafamilial (*l'inceste*), on s'éloigne ici des acceptions légales qui, dans certains milieux, incluent encore les notions de «pénétration» et/ou de père biologique. On s'entend plutôt sur «inceste» incluant les activités sexuelles au sens large du terme, tel que décrit plus loin. Dans ce travail et contrairement, par exemple, au rapport Badgley (Gouvernement du Canada, 1984), nous ne nous pencherons que sur l'inceste intergénérationnel exluant donc les activités sexuelles entre pairs, c'est-à-dire entre les membres de la famille appartenant à la génération des «enfants». Nous croyons en effet qu'il s'agit là de deux phénomènes tout à fait différents quant au sens psychologique pour les participants. Nous avons développé cette hypothèse dans une publication antérieure (Van Gijseghem, 1985).

En ce qui concerne la notion du *père incestueux*, elle comprend non seulement le père de sang mais tout adulte mâle qui a accepté de jouer envers l'enfant un rôle paternel ou parental ou, du moins, qui a donné des signaux selon lesquels il se pose devant l'enfant comme un figure parentale (par exemple: Gélinas, 1983; Van der Mey et Neff, 1982; Comité de la Protection de la Jeunesse, 1982).

Nous traitons de l'abus sexuel extra *et* intrafamilial non pas parce qu'il s'agit là d'un même phénomène, mais parce qu'on ne peut nier les correspondances importantes qui s'y retrouvent (par exemple: Panton, 1979; Abel *et al*, 1981). Ces correspondances trouveraient leur racine dans un dénominateur commun de taille: l'abolition de la distance intergénérationnelle dont il y a lieu de croire qu'elle constitue une des causes les plus importantes des dommages psychologiques subis par la victime (Van Gijseghem, 1985). Dans ce qui suit, la distinction entre les deux formes d'abus (intra et extrafamilial) sera faite là où cela s'impose.

Un autre point qui mérite clarification est celui de savoir ce qui est *sexuel*. Ce qui l'est pour l'un ne l'est pas nécessairement pour l'autre. Rappelons que certains textes de loi ne parlent que de pénétration. Finkelhor (1984), quant à lui, fait intervenir les parties génitales (de l'un ou l'autre des participants) tandis que d'autres auteurs y vont d'une classification d'actes plus ou moins complexe ou détaillée. Le rapport Badgley classifie les abus selon une présumée gravité de l'acte allant de l'exhibitionnisme aux menaces, les attouchements, les tentatives d'agression et les agressions. May (1977) propose une classification tripartite, dans laquelle il dépasse largement la notion d'une «implication des parties génitales». La première classe se nomme «abus sans toucher» et inclut l'exhibitionnisme, les téléphones obscènes et les verbalisations abusives. Une deuxième classe «avec toucher» comprend les caresses, les stimulations génitales et orales, les relations sexuelles complètes ou leur équivalent. La classe «violence» réfère au viol, aux blessures physiques et au meurtre sadique.

Enfin, il est de mise d'ajouter que la notion de *consentement* de l'enfant n'est pas pertinente à l'étude de l'abus sexuel. Il est vrai que les défenseurs du «droit à la jouissance» ont fait beaucoup de cas du fameux «consentement de l'enfant», soulignant que, si celui-ci est désireux de s'engager dans une activité sexuelle avec l'adulte, il en a le strict droit et l'adulte fait bien de s'y prêter. Ces mêmes «avocats pro-pédophilie» soutiennent la thèse selon laquelle ce que l'enfant veut ne peut possiblement se solder par des dommages psychologiques. L'autre thèse (à laquelle nous adhérons et qui est défendue avec force dans la littérature, par exemple: Finkelhor, 1984) veut que l'enfant soit incapable de consentir réellement à des activités sexuelles avec l'adulte, vu son statut d'enfant qui, en définitive, le rend dépendant et «soumis» à l'adulte. L'enfant respecte l'adulte ou du moins, respecte son autorité, et, en dernière analyse, il croit que l'adulte ne peut que lui faire de «bonnes choses». (Blumberg, 1978; Linedecker, 1981). En plus, l'enfant connaît mal la sphère sexuelle et s'il initie avec l'adulte des agirs qui y ont trait, il formule habituellement une demande toute autre, et qui est de l'ordre de l'amour ou de l'attention, ou qui, de toute façon, relève d'un désir qui mérite de rester sur le plan du phantasme et non de l'agir. L'adulte qui s'y prête, même s'il est activement sollicité par l'enfant, se pose inévitablement comme abuseur.

LA LITTÉRATURE CONCERNANT
L'ABUSEUR

GÉNÉRALITÉS

La littérature dite scientifique concernant la personnalité de l'abuseur véhicule les opinions les plus diverses. Plusieurs auteurs prétendent que tout abuseur sexuel est aux prises avec une pathologie importante (par exemple: Karpmann, 1954; Ellis et Brancale, 1956). D'autres défendent le point de vue selon lequel la plupart des abuseurs sont des sujets tout à fait «normaux» (par exemple: Lukianowicz, 1972; Sonden, 1936). Parmi ceux-ci, il y a nombre d'auteurs qui disent que l'abus sexuel, et surtout celui intrafamilial, n'a que peu (ou pas) de liens avec la personnalité de l'instigateur. Elle aurait plutôt à voir avec des particularités de la dynamique familiale (par exemple: Lustig *et al*, 1966; Haley, 1967). Il y a par ailleurs les auteurs qui maintiennent (encore) l'idée que l'abus sexuel n'est dû qu'aux seuls facteurs socio-économiques tels que la pauvreté, les espaces vitaux restreints et qui ignorent donc complètement la dimension intrapsychique au profit des variables sociales (ces points de vue ont été dûment infirmés par l'étude longitudinale de Frisbie, 1969). Finalement, il y a ceux, plus nuancés, qui défendent le point de vue bio-psycho-socio-culturel et qui évitent donc de donner priorité à quelque variable que ce soit, prétextant que, finalement, tout est dû à tout. On ne peut que louer la prudence voire la sagesse de ces derniers. Ce ne sont toutefois point les concepts-valises qui font avancer l'état des connaissances. Tout clinicien que nous soyions, nous favorisons dans cette contribution le point de vue résolument «psychologique», c'est-à-dire celui qui donne priorité, comme *primum movens* de l'abus, à des dimensions de la personnalité de l'instigateur. Ceci n'empêchera pas, osons-nous croire, de considérer, comme variables qui facilitent ou déclenchent, des dimensions relevant d'autres registres.

Sur un plan purement descriptif, la littérature n'offre que peu de généralisations concernant la personne de l'abuseur et concernant son comportement. Des indices relevés qui remportent un certain consensus méritent probablement d'être cités d'emblée.

a) Rôle de l'alcool

L'abus sexuel — et surtout celui intrafamilial — est lié dans cinquante pour cent des cas à l'abus d'alcool. Peters (1976) rapporte que plus de la moitié de son échantillon utilisait l'alcool de façon abusive au moment de l'offense. Rada (1976), dans une étude fort détaillée, trouve un taux d'alcoolisme de 52 % dans un échantillon de 203 abuseurs. Rada souligne que l'alcool peut jouer un double rôle: premièrement, comme désinhibiteur quant aux pulsions et, deuxièmement, la détérioration physique et sociale reliée à l'abus d'alcool rend les partenaires matures moins accessibles, de sorte que le sujet doit se tourner vers les enfants. Nous ne doutons pas de l'importance du rôle désinhibiteur de l'alcool, mais nos propres observations insinuent que l'abus sexuel de l'enfant d'une part et l'abus d'alcool d'autre part, pour nombre d'individus, ont comme lien réel le fait d'avoir la même source motivationnelle intrapsychique. Il serait aléatoire de considérer l'abus d'alcool comme un facteur causal de l'abus sexuel.

Pour donner une autre illustration de l'importance que semble avoir l'alcool comme phénomène parallèle, citons Gebhard *et al* (1965) qui, dans leur classification des abuseurs (basée sur une étude dûment empirique), parmi les types principaux, en proposent un nommé «l'ivrogne»!

b) Sexe de l'abuseur

L'abuseur sexuel est un mâle. Selon le Rapport Badgley (Infractions ..., 1984) il en est ainsi dans 99.2 % des abus ayant pour victime la fille et dans 96.9 % de ceux perpétués sur le garçon. Finkelhor (1984) en vient à des données fort analogues en examinant la littérature sur la question. Les chiffres qu'il en extrait sont que l'homme est l'auteur de l'abus dans 95 % des cas où la victime est la fille et, dans 80 % des cas où il s'agit d'un garçon. Finkelhor essaie de comprendre cette prédominance du mâle parmi les abuseurs et offre à cet effet quelques hypothèses intéressantes. Ainsi, il prétend que la fille apprend plus tôt et plus complètement à distinguer entre les formes sexuelles et non sexuelles de l'expression de l'affection; que le garçon, à mesure qu'il grandit, interprète le succès (hétéro) sexuel comme plus nécessaire à son identité (sexuelle) que ne le fait la fille; que l'homme est socialisé de manière à centrer son intérêt sexuel sur l'acte sexuel isolé de tout contexte affectif; et, finalement, que l'homme est socialisé de manière à privilégier les partenaires plus petits et plus jeunes que lui, tandis que chez la femme, c'est l'inverse.

Tout en ayant du respect pour ces arguments, nous avons néanmoins beaucoup de sympathie pour un argument de type sociobiologique selon lequel, sur l'échelle de l'Évolution, l'homme aurait tout simplement gardé davantage que la femme des attitudes prédatrices — y inclus sur le plan sexuel.

Dire que la femme est complètement absente de la population d'abuseurs serait faux. Il est sans doute vrai qu'un abus «génitalisé» est la plupart du temps l'apanage de l'homme. Il n'est toutefois pas rare que la femme (la mère) crée une forme de climat incestueux mais qui ne se solde pas nécessairement par des gestes ponctuels d'abus. De ce fait d'ailleurs, ce genre d'abus est très difficilement repéré et donc rarement sanctionné légalement. Il n'en reste pas moins qu'il s'agit ici d'un véritable abus et qui laisse des séquelles importantes sur le psychisme de l'enfant. On reconnaît ce «climat incestueux», dont on parle ici, dans des habitudes d'intimité physique entre mère et enfant. Une mère quelquefois vit avec son enfant dans une forme de proximité et de permissivité qu'elle rationalise d'ailleurs dûment à partir de considérations philosophiques et psycho-culturelles. Nudité, exploration mutuelle du corps (et de ses appendices et orifices!), etc, témoignent d'un érotisme indéniable sous la couverte d'une présumée abolition de tabous fâcheux.

c) Proximité

L'abuseur sexuel est généralement connu des victimes. Le Rapport Badgley (1984) a trouvé que dans 24.8 % des abus il y a entre abuseur et victime un lien de sang ou de tutelle; dans 57.4 % il s'agit d'une autre connaissance et seulement dans 17.8 % l'enfant a affaire à un inconnu! Dans une étude rétrospective de Finkelhor (1974) avec des sujets adultes, le pourcentage des abuseurs étrangers monte à 33 %.

d) Ampleur et récidive

L'abuseur sexuel se rend coupable de multiples (souvent innombrables) abus et après détection et éventuelle conviction, non traité, il est généralement récidiviste. Beltrami (1986), dans une étude rétrospective sur un échantillon d'abuseurs, trouve que la moitié de ses sujets avaient commencé dès l'adolescence et n'avaient jamais interrompu leurs activités abusives par la suite. Cette proportion (50 %) confirme celle observée dans des études antérieures (Abel *et al.*, 1985; Groth, 1979). Freeman-Longo et Wall (1986) ont compté une moyenne de 487 crimes sexuels par personne avant la référence à leur centre. Rosenfeld (1985) rapporte une étude de Abel *et al.* (1981) qui en vient au chiffre de 520 actes sexuels déviants en moyenne par personne, préalables au moment de l'étude. Moyennement, un laps de 12 ans s'était écoulé depuis le début de la vie sexuelle des sujets et l'étude. Quant au taux de récidive, Freeman-Longo et Wall la situent autour de 80 % pour des sujets non traités. Même pour une population d'abuseurs adolescents, Fehrenbach *et al.* (1986) notent que l'abus détecté prend déjà sa place dans une panoplie d'actes analogues et de nature diverses. D'un échantillon d'abuseurs adolescents suivis par Awad (1984), quarante-cinq pour cent étaient récidivistes.

e) L'abuseur, ancien abusé

De nombreux cliniciens et chercheurs rapportent que bon nombre d'abuseurs ont connu eux-mêmes, dans l'enfance, des expériences abusives. Dans leurs échantillons d'abuseurs Becker *et al.* (1985), Seghorn et Boucher (1979), et Longo et Groth (1983) trouvent respectivement vingt-trois, cinquante et quatre-vingt-dix pour cent d'abus en bas âge. Les auteurs parlent d'office d'un «cycle de violence sexuelle» insinuant que l'enfant abusé serait davantage à risque de devenir abuseur que l'enfant non abusé. (Voir aussi: Longo [1982]; Rada [1978]; Thomas [1982]). Il s'agit là certes de données significatives bien que, tout comme dans le cas de l'abus d'alcool il serait dangereux de se laisser tenter par des explications causales. On doit en effet tenir compte d'une autre réalité: il est loin d'être prouvé, faute d'études longitudinales, qu'un nombre significatif d'enfants abusés deviennent effectivement abuseurs.

Malgré cela, le phénomène pourrait trouver explication à partir d'hypothèses aussi diversifiées que l'apprentissage (renforcement), l'identification à l'agresseur, l'agir assimilateur ou la répétition compulsive.

Dans la même optique, que dire de la femme abusée comme enfant qui tombe invariablement sur des maris et partenaires qui s'avéreront abuseurs de ses enfants (dans un groupe de douze mères en traitement, ceci fut le cas pour onze d'entre elles!)

Ces quelques données nous laissent évidemment loin en-deçà d'une quelconque typologie. C'est pourtant cela le premier intérêt de cette étude. La prochaine section se penchera donc sur des études qui se sont aventurées sur le terrain glissant des typologies.

LES TYPOLOGIES

— Tentative de classification des différentes études typologiques

Plusieurs typologies d'abuseurs sexuels ont été proposées dans la littérature. On pourrait les présenter en les juxtaposant hors de tout ordre préétabli. Ceci imposerait probablement au lecteur un exercice de lecture ennuyant et astreignant. Nous tenterons donc de créer un certain ordre de présentation — voire une classification — des études typologiques, facilitant en même temps le regard critique que l'on peut porter sur ces études. La classification proposée s'inspire des critères utilisés dans l'effort typologique de chacune des études. Howells (1981) tentait déjà une classification analogue en regroupant différentes études typologiques selon trois axes. Sa classification nous paraît toutefois peu satisfaisante puisque laissant de la place à de multiples chevauchements. Aussi, pour davantage faire justice à la complexité de certaines études, nous retiendrons quatre axes de base sous lesquels les différentes études seront présentées:

les grilles typologiques construites à partir du critère de l'âge de l'abuseur;

les grilles typologiques construites à partir du critère de la psychopathologie ou la motivation intrinsèque de l'abuseur;

les grilles typologiques construites à partir du critère de l'orientation sexuelle ou de la préférence sexuelle de l'abuseur;

les grilles typologiques construites à partir du critère du degré de violence utilisée par l'abuseur.

Il n'y a pas de doute que le problème du chevauchement des axes se posera toujours. Les études seront donc présentées sous leur axe prépondérant, tout en considérant les combinaisons d'axes possibles.

1. Les études typologiques utilisant comme point de référence l'âge de l'abuseur

Mohr, Turner et Jerry

Il importe de situer d'abord l'étude de Mohr, Turner et Jerry (1964). Ces auteurs considèrent trois types d'abuseurs qu'ils croient distincts:

a) Le groupe «adolescent». Ce groupe est caractérisé par une déficience dans le développement socio-sexuel.

b) Le groupe «âge mûr» (dans la trentaine avancée). Il s'agit ici de personnes qui, suite à des échecs social et sexuel régressent vers un intérêt pour des partenaires immatures.

c) Le groupe «sénescent» (la cinquantaine avancée et au-delà). Ici, l'abus serait dû à l'isolation sociale et à la solitude.

West

West (1977) s'inspire de la typologie de Mohr, Turner et Jerry mais la combine secondairement avec l'axe II, c'est-à-dire la psychopathologie. Il garde le groupe adolescent, assemble les deux autres groupes de Mohr, Turner et Jerry dans un groupe qu'il appelle «pédophile adulte» et il leur oppose un groupe «psychopathique». Dans ce troisième groupe (dont le critère est clairement celui de la psychopathologie) il considère les abuseurs dont l'abus prend sa place dans un ensemble d'autres méfaits tant sexuels que non sexuels.

La critique que l'on peut formuler devant une typologie basée sur l'âge de l'abuseur est qu'il s'agit ici d'un critère purement «technique» qui ignore aussi bien le sens, la nature, que la motivation de l'événement. On peut s'imaginer qu'à l'intérieur par exemple du type «adolescent», on retrouve une panoplie d'abus dont la phénoménologie ou le sens ne sont point déterminés par le fait que l'abuseur soit à l'âge de l'adolescence, mais par une foule d'autres variables. Aucune étude ne démontre en effet que l'âge de l'abuseur donne à l'abus une caractéristique spécifique ou le distingue réellement de l'abus perpétué par un individu d'un âge différent. Ce genre de classification est donc à toute fin pratique inutile.

Comme il a été vu, West tente d'apporter une correction partielle en ajoutant un type «pathologique» aux deux types «adolescent» et «adulte». Ce changement de critère à l'intérieur de sa typologie ne fait toutefois qu'ajouter à la confusion.

2. Les études typologiques utilisant comme point de référence la psychopathologie ou la motivation intrinsèque de l'abuseur

Weinberg

Un premier auteur à baser une typologie d'incestes sur cet axe est Weinberg (1955). Sa classification est certes la plus connue et la plus citée et, somme toute, en a inspiré plusieurs autres. Il part d'un bassin de pères incestueux incarcérés pour lesquels des diagnostics «officiels» ont été émis et il trouve, dans ce groupe, les étiquettes diagnostiques suivantes: égocentrique, inadéquat, émotivement instable, adéquat, psychopathe, psychopathe sexuel. Élargissant sa population et regroupant certaines catégories il présente finalement trois attitudes de base qui correspondent à autant de types de personnalité:

a) Une orientation extrêmement endogame ou intrafamiliale — correspondant à une personnalité très introvertie et socialement inhibée.

b) Une promiscuité indiscriminée — correspondant à une personnalité psychopathique.

c) Un désir ardent pour une partenaire-enfant (ou désir pédophile) — correspondant à une personnalité caractérisée par un retard psychosexuel important et par une immaturité sociale.

La possibilité d'un chevauchement des types rend cette typologie difficilement applicable ou utilisable devant un échantillon d'abuseurs. Les premier et troisième types de personnalité sont effectivement dans beaucoup de cas peu différenciables. La personnalité «introvertie

et socialement inhibée» qui s'engage dans un inceste endogame se double souvent par une orientation pédophile.
Nombre de personnes tombant sous la première catégorie de Weinberg peuvent donc aussi bien se retrouver
dans sa troisième catégorie et vice versa: nombre d'individus souffrant d'un «retard psychosexuel important et
d'immaturité sociale» restreindront leurs activités au
noyau familial et peuvent donc être comptabilisés dans
la première catégorie.

McCaghy

D'autres typologies se basent principalement sur
l'élément psychopathologique ou sur la motivation
intrinsèque mais le combinent avec des éléments situationnels ou d'orientation sexuelle. Ainsi, McCaghy
(1967), à partir d'une analyse factorielle sur un groupe
imposant d'abuseurs propose une typologie de six types:

a) l'abuseur «relationnel» (établissant avec un enfant
   bien connu une relation continue et de confiance,
   n'utilisant point de violence);

b) l'abuseur incestueux;

c) l'abuseur asocial (psychopathique);

d) l'abuseur sénile;

e) l'abuseur de carrière;

f) l'abuseur spontané-agressif (l'opposé de l'abuseur
   relationnel).

Malgré la procédure statistique rigoureuse employée
par McCaghy, il y a lieu de rester, là aussi, très scepti-
que quant à l'étanchéité des frontières entre les différents
types. Comment distinguer adéquatement entre un «abu-

seur asocial (psychopathique)» et un «abuseur de carrière»? On sait que bon nombre d'abuseurs «psychopathiques» sont d'office aussi «abuseurs incestueux». Cette typologie présente donc plusieurs faiblesses pratiques. La seule distinction importante — et qu'on retrouvera dans des typologies de la décennie suivante — est celle entre l'abuseur relationnel et l'abuseur spontané-agressif. Il s'agit là de types mutuellement exclusifs et qui, à eux seuls, couvrent la majorité des abuseurs. On rencontre donc dans la typologie de McCaghy l'embryon de la distinction entre «abuseur» et «violeur» ou «agresseur» que l'on retrouvera sous diverses dénominations dans des typologies plus récentes.

Cohen, Seghorn et Calmas

À partir d'études cliniques, Cohen *et al.* (1969) présentent une typologie très articulée qui sera reprise plus tard par nombre d'auteurs. Ceux-ci le feront sans nécessairement donner crédit à qui de droit. Reste que Cohen lui-même utilise, sans référence, des notions freudiennes déjà anciennes. Voici les trois types qu'il distingue:

— Type pédophile «fixé»

Il s'agit d'un être absolument immature, fixé à une sexualité infantile. Il approche l'enfant connu et le séduit progressivement en gagnant sa confiance. Les auteurs décrivent ce type comme étant passif-dépendant.

— Type pédophile «régressé»

Ayant eu une maturation psycho-sexuelle normale, ce type, à cause de sentiments d'inadéquacité reliés à sa masculinité, à cause de stress, ou d'épisodes alcooliques, régresse vers une sexualité «pré-génitale». La victime ici, n'est pas nécessairement connue et l'acte peut être davantage impulsif que dans le cas du type précédent.

— Type pédophile «agressif»

Ici la pulsion semble être de l'ordre du sadisme sexuel. La victime est plus souvent du sexe mâle.

Vu que ces distinctions seront intégrées dans d'autres typologies (par exemple celle de Groth *et al.*) une discussion sera présentée lors de l'examen de ces dernières.

Summit et Kryso

Summit et Kryso (1978), étudiant surtout l'abus intrafamilial, se centrent beaucoup sur «l'intention motivationnelle» et proposent dix types d'inceste correspondant à autant de types d'instigateur. Nous traduisons librement ces dix catégories en y ajoutant une courte description inspirée de celle des auteurs.

— Contact sexuel fortuit

Jeux ambigus; habitudes familiales naïves; voyeurisme et exhibitionnisme présumément innocents; curiosités sexuelles assouvies de façon malhabile; éducation sexuelle par trop audio-visuelle.

— Contact sexuel idéologique

«Abolition des tabous»; «droit au plaisir».

— Intrusion psychotique

Pas de frontières: pas de test de la réalité, délire (système psychotique).

— Environnement rustique

Migrants; isolation; organisation familiale et sociale fruste.

— Véritable inceste endogame

Le «family man» qui garde les choses «dans la famille»; change de femme à l'intérieur de la famille.

— Inceste misogyne

Prédominance de peur, de haine envers la femme (violence envers la femme; viol).

— Inceste «impérial»

Fusion des types deux, quatre et six. Empereur de la famille (souvent parce que non adéquat ailleurs).

— Inceste pédophile

Perversion; accent sur la tendresse, innocence et esthéticisme; «gentils monsieurs».

— Viol d'enfant

Pouvoir; besoin d'annihiler et faire peur pour affirmer et s'assurer de sa «virilité».

— Inceste pervers

Pornographie, rituels; acting-out des fantaisies illicites; réseaux; group-sex... etc.

Une particularité de cette classification est qu'elle insinue — au moins implicitement — un lien entre la nature de l'abus et des facteurs de personnalité de l'abuseur. Même si ce lien n'est pas énoncé de façon systématique, chaque catégorie n'en réfère pas moins à un élément motivationnel ou à une intention chez l'instigateur de l'abus. D'un autre côté, le problème du chevauchement entre divers types semble se poser encore ici.

Fitch

Fitch (1962) part également de l'axe de la psychopathologie mais le double de celui de l'orientation sexuelle. Chacun de ses cinq types se dédouble donc en un sous-type hétérosexuel et un sous-type homosexuel.

1) le type immature (fixé à une sexualité infantile)

2) le type frustré (régresse vers l'enfant pour trouver gratification là où les canaux précédemment privilégiés s'avèrent frustrants)

3) le type sociopathique (ou psychopathique)

4) le type pathologique (psychose, déficience mentale, organicité, sénilité)

5) le type varié (des actes isolés ou impulsifs ou reliés aux dimensions des quatre autres types)

Les cinq groupes, dans les échantillons de Fitch comprennent un nombre significatif d'hétéro et d'homosexuels.

Il s'agit ici peut-être de la typologie qui applique le plus fidèlement le critère de la psychopathologie. Des points obscurs persistent néanmoins. Ainsi, le premier type, le type «immature», tel que Fitch le décrit dans son étude, peut comprendre plusieurs organisations de la personnalité fort différentes les unes des autres. La ligne de démarcation entre le type deux (le «frustré») et le type cinq («varié») semble également quelque peu floue et peut relever de l'arbitraire.

Une autre remarque concerne sa division, à l'intérieur de chacun de ses cinq types, entre homosexuels et hétérosexuels. Il nous semble qu'il s'agit là d'une subdivision par trop automatique, c'est-à-dire ne s'attardant point au sens spécifique que peut revêtir le choix d'objet homo ou hétérosexuel d'un individu.

Rada 1

Rada (1978) ne travaille pas avec l'abuseur d'enfants. Il présente plutôt une classification clinique du violeur en général. Il est néanmoins d'intérêt de mentionner cette typologie puisqu'elle reste applicable aussi pour l'abuseur d'enfant.

Rada utilise des catégories empruntées à la psychiatrie descriptive et propose cinq types symptomatiques ou caractériologiques:

— le violeur psychotique

> (incluant les personnalités «borderline», les psychoses fonctionnelles, par exemple: schizophrénie; les psychoses organiques, par exemple: syndrôme organique cérébral). Ce type correspondrait, selon l'auteur, à 10 % de tous les violeurs.

> L'auteur souligne que ces crimes sont souvent associés à une forte ambivalence envers la mère.

— le violeur situationnel (stress)

> Une situation stressante mène à une crise d'agirs inédite qui semble être un moyen de dépasser une période de grande frustration.

— le violeur aux prises avec un conflit d'identité masculine

> Une catégorie numériquement importante. Il veut se prouver ou faire taire ses doutes quant à sa masculinité. La victime est donc d'office du sexe féminin.

— le violeur sadique

> Relativement rare. Ici le viol n'est point impulsif, mais préparé soigneusement. La satisfaction est obtenue par l'infliction d'humiliation et de douleur.

— le violeur sociopathique

> La catégorie numériquement la plus importante (30 à 40 %). Le viol n'est ici qu'un crime parmi beaucoup d'autres et prend sa place dans une carrière criminelle bien fournie. Même si son acte peut être impulsif, il est moins dangereux puisque le but de l'agression est essentiellement d'ordre sexuel.

Nul doute qu'il s'agit ici d'une typologie intéressante. Ne traitant toutefois que du viol (d'adulte), elle néglige les hordes d'agressions sexuelles qui restent en deçà d'une agression avec violence et avec pénétration du corps de la victime. Une typologie d'abus d'enfant devra donc nécessairement tenir compte de différentes structures de personnalité n'allant pas, dans l'agression sexuelle, jusqu'au viol.

Rada 2

Dans la même publication, Rada propose également une typologie s'attardant davantage à la signification inconsciente que peut revêtir l'abus. Elle comprend:

> l'abus comme défense contre des sentiments d'inadéquacité sexuelle

> l'abus comme défense contre des désirs de régression et de gratification maternelles

> l'abus comme déplacement d'hostilité, ultimement dirigée contre la figure maternelle

> l'abus comme défense contre des désirs homosexuels, surtout du type narcissique

> l'abus comme symptôme du complexe de la Madone-Prostituée, surtout chez des hommes idéalisant la femme non sexuée et la méprisant dès que la relation se sexualise.

Rada prend ici résolument le chemin typologique ne s'attardant qu'au sens inconscient de l'abus. Tout en soulignant le grand intérêt de cette approche, il est à regretter qu'elle ne soit pas intégrable à sa typologie principale (*cf*. supra) et demeure donc une grille parallèle. Il nous semble, en plus, que les types de cette classification sont loin d'être mutuellement exclusifs. Il est concevable que l'abus d'un même homme soit inspiré en même temps par tous ces motifs inconscients!

Autres typologies de violeurs

Nous avons traité des deux typologies de Rada puisqu'elles nous paraissaient particulièrement appliquables également à l'abus sexuel proprement dit. Il est toutefois à remarquer qu'il y a d'autres classifications de violeurs dont les paramètres peuvent être utilisés dans le cas de l'abus de l'enfant. Ces classifications restent d'ailleurs rigoureusement à l'intérieur de l'axe de la psychopathologie ou de l'intention motivationnelle. Sans élaborer sur ces études, mentionnons néanmoins celles de Guttmacher (1951), Kopp (1962), Amir (1971) et, particulièrement, celle de Prentky *et al.* (1985) sur laquelle nous reviendrons dans l'axe 4.

3. Les études typologiques utilisant comme point de référence l'orientation sexuelle ou la préférence sexuelle de l'abuseur

Langevin

Langevin (1985) dans son grand souci de rigueur empirique s'en tient à la stricte description du comportement et cela dans sa dimension la plus observable: la préférence sexuelle comme elle se manifeste à travers le choix de la victime à partir de son sexe. Langevin en vient alors à considérer trois types:

le type hétérosexuel

le type homosexuel

le type bisexuel

Même si l'auteur évite ainsi le problème du chevauchement des types, ce qui était clairement son intention eu égard à ses visées empiriques rigoureuses, il est évident qu'on perd par ailleurs énormément d'informations. Cette classification, de ce fait, est trop grossière pour être réellement utile au clinicien même si elle peut l'être au chercheur. En plus, il est de mise de souligner ce qui a été dit à propos de la typologie de Fitch (*cf.* supra). Le choix «homosexuel» peut vouloir dire bien des choses différentes. Ainsi en est-il du choix «hétérosexuel» (à titre d'exemple on peut retrouver à l'intérieur de ces catégories, aussi bien l'être fonctionnant adéquatement qui, lors d'une crise dans sa vie, passe par une période d'abus, que l'être psychotique en plein délire). Et que dire du type «bisexuel» qui semble davantage être un «foutoir» de tout ce qui ne trouve pas une place nette dans les deux premiers types, plutôt qu'un type proprement dit.

de Young

de Young (1982) part également du critère de la préférence sexuelle, mais elle le combinera secondairement avec d'autres critères, c'est-à-dire celui de la motivation intrinsèque et du degré de violence. La typologie de de Young ne se prétend point originale mais s'inspire largement de celle de Groth (1978), elle-même le résultat d'une combinaison d'axes (*cf.* infra). Voici donc la classification utilisée par de Young:

— Pédophilie hétérosexuelle

- Type «fixé» (*cf.* Groth-infra)

orientation sexuelle «fixée» sur l'enfant pour des raisons intra-psychiques et donc «immaturité» psycho-sexuelle.

– Type «régressé» (idem)

l'abus est compris comme une défaillance temporaire due à des influences situationnelles.

– Type sadique (idem)

la violence est nécessaire au plaisir de l'abuseur.

de Young fait intervenir pour chaque type l'axe âge (*cf.* la typologie de Mohr, Turner et Jerry, 1964) et l'axe degré de violence («sex pressure» versus «sex force» — *cf.* Groth et Wolbert-Burgess, 1977).

— Pédophilie homosexuelle

– Type socialement inadéquat

sous-type «renfermé»

sous-type «conformiste»

– Type intrusif

s'entoure activement de garçons par l'établissement d'une relation de confiance.

– Type agressif

ici l'utilisation de violence est typique — contrairement aux types précédents.

– Type pédéraste

(«boy-worshippers»)

Le garçon impubère est un idéal esthétique.

Cette typologie part donc également de la distinction nette entre la nature hétéro et homosexuelle de l'abus sexuel. On doit référer aux remarques critiques que nous avons faites à propos de la même distinction dans la typologie de Fitch et dans celle de Langevin.

Tout en étant exhaustive, la typologie de de Young est très descriptive et liée à la phénoménologie de l'acte ponctuel d'abus. On reviendra sur ces points en examinant les travaux de Groth (*cf.* infra) et en justifiant, dans le chapitre suivant, notre propre point de vue.

4. Les études typologiques utilisant comme point de référence le degré de violence utilisée par l'abuseur

Aucun auteur ne s'est uniquement basé sur le critère du degré de violence, bien que plusieurs l'ont utilisé en priorité, mais en le combinant secondairement avec d'autres critères. Reste que le dualisme «abuseur versus agresseur» se retrouve un peu partout dans les écrits sur l'abus sexuel et certains auteurs vont jusqu'à considérer l'abus et l'agression comme deux phénomènes qualitativement différents, ce en quoi nous ne les suivons point. Ce dualisme s'exprime par les oppositions «sex pressure — sex force» (Groth et Wolbert-Burgess, 1977) «molester — rapist» (Groth, 1978, 1979), «offender- aggressor» (Gebhard *et al.*, 1965), etc.

Gebhard et al.

Une première étude faisant de cet axe la porte d'entrée de sa typologie est celle de Gebhard *et al.* (1965). Ces auteurs, disposant d'un échantillon très impressionnant, indiquent la proportion approximative des types les plus importants de leur classification. Dans leur pyramide typologique, le premier critère utilisé est, en effet, le degré de violence: abuseurs (offenders) versus agresseurs (aggressors), le second est l'orientation sexuelle (homo versus hétérosexuel), le troisième est un mélange de critères psychopathologiques et situationnels.

Nous nous permettons de ré-organiser quelque peu la méthode de présentation de Gebhard *et al.* pour en arriver à un tableau synoptique. Nous indiquons aussi, à notre façon, l'importance numérique qu'attribuent ces auteurs aux types respectifs.

— Abuseurs

Hétérosexuels

le pédophile (30 %)

le déficient mental (20 %)

l'immature sur le plan sociosexuel (10 %)

le cas situationnel (8 %)

le psychotique (5 %)

le sénile (5 %)

le délinquant amoral (rare)

l'ivrogne (rare)

Homosexuels

le pédophile (80 %)

le déficient mental (10 %)

l'ivrogne (10 %)

le cas situationnel (rare)

le délinquant amoral (rare)

le psychotique (rare)

Incestueux

le «dépendant» (la majorité; ce type est décrit comme inadéquat, non agressif, dépendant, buveur, peu travaillant et fortement obsédé par le sexe).

le délinquant amoral (10 %)

l'ivrogne (10 %)

le pédophile (rare)

le psychotique (rare)

le déficient mental (rare)

— Agresseurs

Hétérosexuel

le déficient mental

le «malade mental» (ces deux premiers types correspondant à la majorité des agresseurs hétérosexuels).

le pédophile (rare)

le cas inclassifiable («offenders who got a bit too rough» — *sic*).

Homosexuel

(pas de sous-types).

Cette typologie a certes sa grande valeur puisqu'elle se base sur un grand nombre de cas et, de ce fait, elle réussit à donner des indications sur l'importance proportionnelle de chaque sous-type dans le grand bassin des abuseurs et agresseurs. Malgré cela, elle présente des failles de base. À l'intérieur de chaque grande catégorie (abuseurs et agresseurs) elle reprend la distinction automatique de l'homosexuel et de l'hétérosexuel (déjà dûment critiquée plus haut). En plus, dans la catégorie des abuseurs ils ajoutent à l'homo et à l'hétérosexuel un troisième sous-type, *i.e.*, l'incestueux. Il s'agit certes là d'une anomalie puisque l'introduction de ce sous-type relève d'un critère typologique autre, c'est-à-dire l'abus intra ou extrafamilial. On peut encore accepter que les sous-types homo et hétérosexuel, dans ses échantillons, ne concernent que les abuseurs extrafamiliaux. Il est toutefois inacceptable qu'il ne reprenne pas alors ces deux premiers sous-types pour les abuseurs incestueux. En définitive, l'auteur change de registre à l'intérieur d'une même classification, augmentant ainsi la confusion déjà existante.

Aussi faut-il reconnaître que plusieurs sous-types sont vagues et peu définissables. Que dire des types «l'ivrogne», «l'immature socio-sexuel» ou encore «le dépendant». Il s'agit néanmoins là de types très fortement représentés dans cette classification. Le problème d'une définition opérationnelle est omniprésent dans cette classification. De ce fait, le chevauchement des types est inévitable. Il est évident, par exemple, qu'un abuseur donné peut être en même temps ivrogne, immature socio-sexuel et dépendant. Il peut, en outre, aussi être pédophile et même déficient mental. Tout ces traits réunis chez le même individu nous laissent l'embarras du choix entre cinq types que Gebhard juge néanmoins circonscrits.

Groth et al.

La typologie probablement la plus connue et utilisée est celle développée par Groth et ses collaborateurs

(1977, 1978, 1979, 1982). À l'instar de celle de Gebhard, elle utilise comme porte d'entrée le critère du degré de violence (Groth et Wolbert-Burgess, 1977). Groth ne présente pas une grille unique mais en présente plusieurs au fil de ses publications, déployant ainsi un système progressivement de plus en plus sophistiqué. Tirée de ses différentes publications, il a proposé récemment une grille faisant dès le départ la différence entre l'auteur d'un attentat à la pudeur (child-molester) et l'auteur de viol (child rapist).

Les individus incriminés d'attentat à la pudeur se subdivisent en deux types: le type fixé et le type régressé.

Les individus incriminés de viol, à partir de leur motivation intrinsèque, se subdivisent en trois sous-types, selon qu'ils sont poussés par la colère, par le désir de puissance ou par le sadisme. Voici, de façon synoptique et résumée la typologie de Groth.

— Attentat à la pudeur

Caractéristiques générales:

– l'approche se fait par la séduction ou la persuasion.

– recherche d'une relation continue, sans violence, «affective».

a) le type «fixé»

Préférence (principalement homo) sexuelle pour l'enfant due à des «fixations» à un stade immature du développement psycho-socio-sexuel.

b) le type «régressé»

Attraction (principalement hétéro) sexuelle envers l'enfant à cause d'une incapacité de

44

maintenir une sexualité adulte (défaillances temporaires; échecs sociaux ou sexuels; situation de frustration, etc.).

— Viol

Caractéristiques générales:

- l'approche se fait par la menace et/ou la violence.
- aucune recherche de relation continue, souvent agressions uniques sur un enfant.

a) motivé par la colère

Agressions impulsives et isolées sur un enfant pour se venger de quelqu'un ou pour se «faire justice».

b) motivé par le désir de puissance

Agressions visant à confirmer ou affirmer une sensation de puissance ou à colmater un sentiment de dévalorisation.

c) motivé par le sadisme

Érotisation de l'agressivité.

Il s'agit ici sans contredit d'une typologie d'une grande valeur faisant dès le départ la distinction entre l'abus par persuasion non violente d'une part, et l'agression avec violence d'autre part, tout comme le faisait de façon plus laborieuse Gebhard, et de façon plus timide, McCaghy. Ensuite, pour l'abuseur (sans violence) la distinction entre le type fixé et le type régressé est loin d'être sans intérêt. Howells (1981) prétend que cette subdivision est inspirée de Swanson (1968) ce qui, après vérification, s'avère exact. (Swanson remarquait que seulement un abuseur d'enfant sur quatre est «pédophile classique», c'est-à-dire ayant une «fixation» sexuelle spécifique envers l'enfant). La paternité de la distinction entre pédophile fixé et pédophile regressé semble d'ailleurs hautement controversée. Si Groth popularise cette distinction et si Howells l'attribue à Swanson, il n'en reste pas moins qu'elle était déjà implicite dans la typologie de Mohr *et al.* (1964) et qu'elle était carrément présentée telle quelle dans celle de Cohen *et al.* (1969). Toutefois, et étrangement, aucun auteur ne fait référence à Freud qui, dès 1905, expliquait les perversions comme étant le résultat d'une fixation ou d'une régression. Le sens qu'il donnait à ces phénomènes était d'ailleurs tout à fait celui que les auteurs récents lui donnent.

Même si cette distinction entre «fixé» et «régressé» répond à une réalité clinique, elle nous paraît encore trop générale. Différentes fixations peuvent avoir différentes significations et peuvent donc se solder par des organisations de personnalité fort distinctes. La même chose vaut d'ailleurs pour la régression.

Il est à remarquer aussi que Groth change de registre pour subdiviser sa deuxième grande catégorie (le viol d'henfant). Ici ce n'est plus le critère développemental qui est utilisé comme dans le cas de l'attentat à la pudeur (fixé-regressé). Le viol est plutôt subdivisé à partir d'une motivation émotive ou pulsionnelle (la colère, le désir de puissance, le sadisme). Il nous semble qu'il s'agit ici d'une faiblesse quant à la valeur heuristique du modèle. En plus, ce changement de critère de subdivision affecte certes la cohérence interne de la typologie dans son ensemble. Malgré ces critiques, la grande popularité de cette typologie réflète sa relative facilité d'application et sa valeur comme outil diagnostic.

Prentky et al.

Prentky *et al.* (1985) proposent un système taxonomique pour la classification des violeurs de femmes adultes. Il n'est pas impossible, comme ils l'insinuent eux-même, que ce système puisse être applicable pour d'autres genres de crimes sexuels. Ils partent d'une typologie de violeurs déjà proposée par Cohen *et al.* (1969), autre que celle que les mêmes auteurs présentaient pour la pédophilie (*cf.* supra). Cette typologie distinguait en effet, dès le départ, les viols inspirés par une motivation sexuelle et ceux tributaires d'une pulsion agressive. Prentky *et al.* présentent un genre d'arbre décisionnel en pyramide qui résulte en huit sous-types. Ils vantent le système en soulignant qu'il s'agit d'un ensemble de sous-types qui est cohérent sur le plan conceptuel en ce que les mêmes critères théoriques s'appliquent à tous les types. On réduit ainsi l'hétérogénéité des types tout en permettant de classifier tout violeur sans devoir recourir à la création d'un type «poubelle» (individus non-classifiables).

L'arbre décisionnel comporte trois niveaux dont le premier porte sur le type d'agression utilisé lors du viol: est-il purement instrumental ou est-il essentiel? Créant au deuxième niveau deux types, ceux-ci sont à leur tour subdivisés en deux selon le sens qu'a l'élan sexuel dans le viol. Pour l'agresseur «instrumental» il peut être «compensatoire» ou «exploiteur», tandis que pour l'agresseur «essentiel», la sexualité peut être le résultat d'une rage déplacée ou du sadisme. Le résultat en est maintenant quatre sous-types qui seront, au troisième niveau, à nouveau subdivisés en deux selon le degré d'impulsivité dans l'histoire personnelle ou le style de vie de l'individu. On arrive alors à la pyramide suivante:

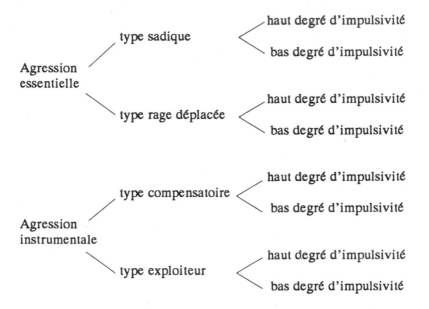

Les auteurs présentent des vignettes cliniques pour chacun des huit types. Ils donnent, en plus, une foule de données sur la fidélité inter-juge et sur la validité du système. Leur démarche semble pleine de promesses à cet égard. Tout en reconnaissant la valeur heuristique et l'utilité comme outil de «mesure», ce système nous semble éloigné des nosographies qui, après tout, ont fait leurs preuves. Ainsi est-il difficilement comparable ou superposable à un système aussi simple que, par exemple, celui qui distingue névrose et psychose. Le clinicien, en utilisant ce système devra donc faire fi d'une foule de critères diagnostics qui le servaient pourtant dans ses efforts pronostiques et thérapeutiques.

REMARQUES CRITIQUES SUR LA LITTÉRATURE TYPOLOGIQUE ET TRAIT D'UNION AVEC LA PRÉSENTE ÉTUDE

Tenter de classifier les abuseurs sexuels semble une entreprise extrêmement hasardeuse. Elle présuppose le désir de catégoriser, donc de «réduire» en classes; ce qui sert sans doute ceux qui croient en la nécessité du diagnostic comme hypothèse de travail. Elle présuppose aussi un désir réductionniste, donc de parcimonie. L'entreprise reste hasardeuse puisque les catégories doivent être à la fois exhaustives mais aussi mutuellement exclusives. Une typologie, en plus, doit être doublée par des critères décisionnels, c'est-à-dire des critères empiriques permettant de situer un individu à l'intérieur d'un type — sans quoi, évidemment, elle est inutile. La question est de savoir si le critère de base utilisé pour la construction d'une typologie est à la fois observable et indépendant. La plupart des auteurs qui ont proposé une typologie se sont battus avec cette difficulté. Les uns utilisent des critères strictement comportementaux — donc éminemment observables, mais non nécessairement indépendants, *i.e.*, mutuellement exclusifs. Les autres utilisent des critères motivationnels ou intrapsychiques, donc beaucoup moins observables mais potentiellement plus mutuellement exclusifs. D'autres enfin, croient

49

résoudre l'affaire en utilisant, à l'intérieur d'une même typologie, des critères de tout ordre.

Nombre de chercheurs évitent l'entreprise typologique comme telle et s'intéressent davantage à circonscrire les «caractéristiques de personnalité» des abuseurs. Leur démarche est d'habitude plus rigoureuse et plus empirique que celle des précédents. La littérature rapporte un nombre d'études qui concluent à certains traits de caractère, ou certaines caractéristiques propres à l'abuseur. Un problème immense subsiste toutefois ici. Ces études dûment conduites avec groupe clinique et groupe contrôle, constituent invariablement le premier groupe à partir du critère hyper-observable qu'est l'acte ponctuel d'abus. On se retrouve alors avec un groupe d'abuseurs présumément homogène, par exemple: des hommes intelligents de quarante ans qui ont abusé d'une petite fille inconnue. Or, l'argument contre cette procédure est que ce groupe n'est aucunement homogène mais constitué d'hommes ayant des motivations extrêmement différentes. Bien sûr que cette étude, rigoureuse sur le plan empirique, trouvera, par exemple, dans le groupe clinique un taux plus grand d'agressivité que dans le groupe contrôle. Toutefois, on peut dire qu'il y a plus d'agressivité parce qu'il y a, au départ, par exemple, plus de psychopathes que dans le groupe contrôle. Les chercheurs contourneront cet écueil en comparant, toujours selon notre exemple, des psychopathes abuseurs à des psychopathes non-abuseurs. Or, ces études prouvent généralement notre point. Selon ce genre de procédure, les différences, *i.e.* les présumées caractéristiques devant distinguer les deux groupes se diluent et même se dissolvent (par exemple: Levin et Stava, 1987). On peut en conclure que cette approche «factorielle» ne tient pas ses promesses. D'une part, on ne peut concevoir un groupe d'abuseurs comme homogène, même si, sur un plan comportemental, l'abus semble identique. D'autre part, les différences quant aux caractéristiques de la personnalité entre, par exemple, le carencé qui abuse et celui qui n'abuse pas sont négligeables, comme elles sont négligeables entre le psychopathe qui abuse et celui qui n'abuse pas.

Le problème avec la majorité des typologies est que pour établir ces critères distinctifs, elle prend, en effet, le chemin prudent de l'isolement d'une variable. Cette variable, à son tour, afin de répondre aux canons de la science, se doit d'être aussi opérationnalisable que possible. Elle sera donc la plupart du temps d'ordre comportemental, *i.e.* éminement observable et descriptible. C'est ainsi que l'on se retrouve dans nombre de typologies avec des critères distinctifs tels que l'âge de l'abuseur, sa préférence sexuelle (homo, hétéro, ou même bisexuel), le degré de violence, etc. Il est vrai que ces critères sont bien opérationnalisés et circonscrits et semblent donc tout indiqués en vue d'une classification. Pourtant, les études recensées nous ont aussi appris que la plupart d'entre elles ne réussisent point à inclure tous leurs sujets si seulement un critère distinctif est utilisé. Elles ont alors recours à d'autres critères éventuellement aussi comportementaux et factuels que les premiers, mais qui introduisent néanmoins dans le portrait, un registre sémiologique différent. De là, sans doute, comme il a été vu lors de nos critiques des différentes études, la présence de multiples changements de registre, la fréquence des possibilités de chevauchement entre les types et, somme toute — dans les typologies le moindrement sophistiquées — des incohérences notables. En fait, soit que les typologies sont cohérentes mais elles sont alors plutôt simplistes et ne disent pas grand'chose, soit qu'elles paient en cohérence ce qu'elles gagnent en valeur de discrimination.

Il nous semble que l'on fait fausse route si, en matière d'abus sexuel (comme dans toute matière de symptôme!), on se fie à l'aspect visible — *i.e.* observable et descriptible — de la chose. Et on fait doublement fausse route si on fonde sur la description du geste, une typologie. C'est un peu comme si, en voulant classifier les gens à partir du critère de la couleur des cheveux, on ignorait qu'en dessous du visible, qui peut toujours bien relever du factice — la teinture — il existait une réalité plus fondamentale, non-visible celle-là. En plus, il nous paraît clair que l'abus sexuel ne peut être vu comme une entité nosologique, pas plus que ne l'est l'alcoolisme, l'abus de drogue ou le vol. En poursuivant la caricature, une typologie d'abuseurs sexuels se fondant sur la description des gestes abusifs (homo, hétéro, etc.) ressemble malgré tout à une fictive typologie d'abuseurs d'alcool proposant des types tels que: alcoolique du whisky, alcoolique de gin ... etc.!

Dès lors, une typologie ne devrait pas utiliser comme critère l'acte abusif et sa description, mais devrait partir plutôt de l'être qui le commet.

Nous proposons donc une porte d'entrée différente, c'est-à-dire la structure de la personnalité de l'abuseur (non pas que cette dimension soit totalement absente dans les études recensées. Elle est toutefois utilisée de façon par trop parcellaire et, là encore, s'inspirant trop de grilles nosologiques descriptives). Une fois la structure connue, il s'agira par la suite de saisir le *sens* de l'agir ponctuel dans la perspective de cette structure. En-dehors de cette approche, l'entreprise typologique dépendra bien toujours de l'anecdotique, de l'accidentel, du factice.

Le fait de se trouver devant un abuseur n'enlève donc point au clinicien la tâche du diagnostic, *i.e.* de situer son sujet par rapport à une nosologie cohérente. Toutefois, dans un effort diagnostique qui ne se veut pas uniquement descriptif, il importe de saisir le *sens* que prend le symptôme. Ainsi, ce symptôme qu'est l'abus devra être compris dans son rôle fonctionnel et économique à l'intérieur d'un fonctionnement psychique, lui-même résumé par l'étiquette diagnostique. Nous nous écarterons donc résolument ici d'une utilisation descriptive des termes. N'est pas «dépressif» qui est déprimé, n'est pas «délinquant» qui pose l'acte délinquant, n'est pas «homosexuel» qui pose l'acte homosexuel, n'est pas «obsessionnel» qui présente des rituels obsessionnels, etc.

Ainsi, à titre d'exemple, quand le terme «carence» sera utilisé, ce n'est point pour désigner l'individu dont la configuration psychique et comportementale révèle des carences dans le sens descriptif du terme, mais plutôt pour désigner l'individu dont la structure de la personnalité elle-même est caractérisée par une absence importante de stabilité dans la relation objectale, due à un manque flagrant de continuité dans les relations premières.

Un autre exemple: une certaine littérature sur la question, utilise le terme «pédophilie» pour nommer ces individus qui font du commerce sexuel avec des enfants.

On y parlera de pédophilie homosexuelle et héréro-sexuelle dépendamment du fait que les activités soient perpétrées sur des garçons ou des filles. Or, dans notre optique, n'est pas nécessairement pédophile qui a des activités sexuelles avec l'enfant. Ainsi, le carencé qui tente de se procurer un semblant d'affection auprès de l'enfant, ne sera pas ici appelé pédophile mais bel et bien «carencé». En revanche, considérons le cas de ce pervers qui pose le même geste puisque le garçon (ou, comme on verra, dans certains cas, la fille) lui sert d'écran de projection à son idéal esthétique, existentiel et narcissique. Ce dernier sera donc appelé «pervers». La distinction sera ainsi faite à partir du sens qu'a le symptôme, même si, sur un plan phénoménologique, les gestes posés par ces deux individus sont éventuellement identiques et peuvent — dans une optique descriptive — tomber sous la rubrique «pédophilie».

Comme il a été dit dans l'introduction de cette étude, nous nous éloignons donc à dessein de la nosologie du DSM qui utilise, comme critère diagnostique, la description des phénomènes psychiques et comportementaux (addition de symptômes) plutôt que de s'attarder à leurs sens.

Notre position déplaira sans doute aux tenants d'un empirisme psychiatrique fidèle au dit manuel. Elle saura peut-être davantage faire l'affaire de ceux qui sont désenchantés de l'aspect mécaniste du même DSM. On aura compris que le schème de référence utilisé dans la présente étude est celui de la psychologie dynamique. D'aucuns diront, fort à propos, qu'à l'intérieur de ce schème des divergences nosographiques existent et qu'on est loin de pouvoir parler d'une grille unique ou faisant l'unanimité parmi les tenants de ce schème. C'est ce qui nous pousse, dans la section suivante, à spécifier le point de vue ici adopté et qui sera celui qui utilise comme critère distinctif la nature de la relation objectale.

REMARQUES CONCERNANT LE CRITÈRE ADOPTÉ: LA RELATION OBJECTALE ET SES AVATARS

Comme il a été dit plus haut, aucune grille ne fait d'office l'unanimité à l'intérieur de la psychologie dynamique. Il est donc de mise de spécifier la grille diagnostique ici utilisée. Celle-ci prend comme point de référence la relation objectale, son absence, sa pseudo-présence et les différentes qualités de sa présence.

Qu'entend-on par «relation objectale»?

La psychologie dynamique prétend que dans le développement de l'enfant, il y a au début de la vie une phase de totale indifférenciation entre le sujet et l'objet: l'enfant n'a pas d'identité propre et vit donc dans un état de non-être que l'on peut aussi désigner par les notions de fusion ou de symbiose avec un entourage non encore identifié comme tel. L'enfant ne peut encore attribuer la satisfaction de ses besoins à un agent extérieur: besoin et satisfaction de besoin sont également encore fusionnés. Sans négliger les stades intermédiaires auxquels nous reviendrons plus loin, il est généralement admis que quelque part autour de sa première année, l'enfant acquiert progressivement la relation objectale, ou autrement dit, la capacité de reconnaître la source de sa satisfaction comme extérieure à lui-même. Il acquiert donc la capacité de voir l'autre comme «autre», *i.e.* indépendant de son propre besoin. Ce moment dans la vie de l'enfant sera, selon les auteurs, indiqué par les termes comme: différenciation, séparation-individuation, position dépressive, etc. Quant aux conditions nécessaires à l'acquisition de cette position, on peut les résumer grosso-modo comme étant de deux natures: premièrement, une continuité suffisante dans le contact entre la figure maternante et l'enfant est requise pour que ce dernier puisse «donner un visage» à sa satisfaction, c'est-à-dire pour qu'un ensemble de stimuli stable soit associé à sa satisfaction. Deuxièmement, une discontinuité suffisante dans ce même contact est requise pour que l'enfant puisse reconnaître cet ensemble de stimuli comme appartenant à une source extérieure et non pas comme une simple excroissance de son propre besoin. Ce n'est que la dialectique entre ces deux conditions qui peut permettre à l'enfant de situer hors de soi l'objet de sa convoitise. Dès lors, il aura à «prendre soin» de cet objet pour ne pas le perdre.

Toutefois, si l'une de ces deux conditions de base est déficiente, on doit présumer qu'on aura affaire à ce qu'on peut appeler une pathologie anobjectale. Ainsi dans le cas d'une trop grande discontinuité dans le contact entre un objet maternant et l'enfant (donc, nécessairement un manque de continuité) ce dernier ne sera pas apte à associer un ensemble de stimuli à sa satisfaction. Il ne pourra donc pas donner un visage à celle-ci. Sa recherche de satisfaction restera anarchique et sans objet. On parlera ici de carence affective ou relationnelle.

Et dans le cas d'une trop grande continuité, non égratignée par des expériences de discontinuité, on parlera — nécessairement — de symbiose. L'enfant ne pourra attribuer sa satisfaction à autre chose qu'à son propre besoin: l'attente, le délai, la frustration ne sont jamais venus lui apprendre qu'il est dépendant d'une entité extérieure à lui-même. On parlera ici de ces psychoses que l'on désigne par le terme psychogène (caractéristiquement, on les appelle quelquefois: les psychoses symbiotiques).

Les deux grandes pathologies anobjectales s'enracineraient donc, par voie de fixation, dans la période ou l'objet en tant que réalité extérieure n'existait pas. Ainsi, la carence trouverait sa source dans le stade d'indifférenciation, mais caractérisé par un manque total de stabilité dans le lien pourvoyeur de soin. Ce manque flagrant de continuité riverait l'enfant à ce mode interactionnel ce qui se soldera par une recherche effrénée de satisfaction sans égard ou attachement aux objets. La psychose psychogène (par exemple: certaines schizophrénies et les états qui en tiennent lieu) serait due à une incapacité de l'enfant à aller au-delà de la symbiose entre son monde et le monde maternel. Il y a donc fusion entre réalité intérieure et extérieure résultant en une absence de frontière entre soi et l'objet. Cette absence de frontière (de distance) affectera singulièrement l'organisation unitaire de la personnalité et créera l'angoisse de morcellement.

Il n'y pas de doute qu'entre le fonctionnement objectal (la névrose) et le fonctionnement anobjectal (la carence, la psychose) il y a des états qui trouvent racine dans un stade intermédiaire. Ce stade «transitoire» est caractérisé par ce qu'on pourrait appeler un objet «intermédiaire» ou objet miroir. Entre le stade de présumée totale indifférenciation et le stade où l'objet a pu être constitué comme une entité séparée, on doit concevoir une période ou l'objet a déjà ses contours mais reste encore un genre de réflexion de soi — une image spéculaire — résultat de projections multiples dans la mutualité mère-enfant. L'enfant ne s'est pas encore reconnu «séparé», *i.e.* petit et démuni, mais communie encore à la toute-puissance maternelle, elle même résultat d'une projection de son propre désir absolu et d'une négation de son incomplétude. On peut donc d'office parler ici d'un «stade narcissique». Une fixation à cette position résultera dans ce qu'on appelle de plus en plus les pathologies narcissiques. Ces pathologies se reconnaissent dans les personnalités grandioses, les structures perverses, la psychopathie, la paranoïa et auront besoin, afin de maintenir l'illusion de la toute-puissance, de constructions fantasmatiques et comportementales telles que mysticisme, idée de perfection, hermaphrodisme psychique — bref, le «sex and drugs and rock n'roll» de la chanson.

Une parenthèse s'impose. Le lecteur reconnaîtra ici une position théorique malgré tout plus traditionnelle que celle prônée par des auteurs tels que Bergeret et Kernberg. Dans la nosologie ici présentée, le «borderline» ou autres états limites restent bel et bien du côté de la psychose ou ce qui en tient lieu et cela, à partir du traitement que l'individu réserve à l'objet et l'angoisse typique reliée à ces états (qui reste bien l'angoisse existentielle ou de morcellement). Contrairement à Bergeret (1975) et Kernberg (1975) et à certains tenants d'une psychiatrie descriptive, le «bordeline» fait donc ici partie du registre psychotique. Par ailleurs, la dépression (lire la réelle structure dépressive) se range ici parmi les névroses puisque ce qui y est en jeu, c'est l'objet et l'émoi qui est relié à sa perte c'est-à-dire, la culpabilité, émoi relationnel par excellence. Les états «intermédiaires», dans notre optique, sont réservés aux seules pathologies narcissiques. Fermons ici, pour l'instant, cette parenthèse.

De l'autre côté, quand l'enfant a acquis l'objet, grâce aux conditions susmentionnées, il doit faire son deuil aussi bien de la fusion que de l'illusion de sa toute-puissance. Il doit se reconnaître dorénavant «petit» et dépendant de sources de satisfactions — d'objets — sur lesquels il a tout, sauf le contrôle absolu. Il aura donc à mettre en place des stratégies pour préserver sa source de satisfaction. Voilà que nous sommes en présence des caractères névrotiques (lire, la «normalité»). Autant de sources relationnelles pour s'assurer une présence continue de cet objet, reconnu comme ayant une existence propre et indépendant du désir de l'enfant. La relation objectale du caractère dépressif aura pour but de mettre l'objet en lieu sûr en l'introjectant, en le «mangeant»; celle du caractère obsessionnel le gardera en le contrôlant; celle du caractère hystérique, en le séduisant. Les émois, ici, seront alors relationnels, *i.e.* centrés sur la préservation de l'objet d'amour. Et cela contrairement à la pathologie anobjectale, où les émois seront reliés à l'intégrité de soi (c'est-à-dire des préoccupations existentielles autour de l'identité, du corps et surtout du morcellement constamment menaçant) et aux pathologies narcissiques où la préoccupation est celle de l'intégrité narcissique, c'est-à-dire la complétude, la perfection, l'absolu ... Voilà donc dressée une nosologie basée sur l'objet et le traitement que l'individu lui réserve. Le

lecteur aura compris que cette grille est largement inspirée d'une théorie du fonctionnement humain et de la
pathologie selon un axe d'étude que l'on peut reconnaître
dans les dernières trente années et dont la ligne maîtresse
est grosso-modo la suivante: Jacobson (1964); Spitz
(1969); Deutsch (1969); Winnicott (1969, 1971); Kohut
(1971); Mahler (1979); Grunberger (1975), pour ne
nommer que quelques «classiques».

Dans cette courte revue du point de vue théorique
adopté, nous avons semblé insister, pour situer une structure de caractère donné, sur l'importance de la fixation à
tel ou tel stade du développement. Pourtant, à l'instar de
Grunberger (1975), nous adhérons davantage à l'idée du
caractère comme étant un mode spécifique de relation
d'objet ou à l'objet.

Le lecteur pourrait dire que notre démarche relève
du coup du Cheval de Troie. Par l'entremise d'une étude
sur l'abuseur sexuel, on présenterait ainsi une grille
nosologique plus générale, susceptible de rivaliser avec
d'autres grilles à l'intérieur d'un même schème de
référence. Le lecteur n'aura pas tout à fait tort. D'un autre côté, invoquons ceci pour justifier notre démarche:
l'objet et le traitement que l'individu lui réserve est
singulièrement au centre de la problématique qui nous
préoccupe dans cette étude. Le couple de l'abuseur et de
sa victime doit être vu, en effet, comme le couple, fondamental celui-là, de l'individu et son objet. Seulement
déjà, à partir de cet axe d'étude, il est aisé de comprendre l'absence ou la présence ainsi que la qualité de la
considération qu'éprouve l'abuseur pour sa victime. Cet
axe d'étude permet, en plus, de saisir en quoi et par quoi
cette victime sert à cet abuseur d'«objet de satisfaction».

Cheval de Troie certes, mais cheval qui sert à cerner le sens de l'acte abusif et à comprendre la psychologie de celui qui le commet à l'intérieur d'une grille dûment justifiée sur le plan théorique et rendue cohérente grâce à un critère unique: l'objet.

CONSIDÉRATIONS MÉTHODOLOGIQUES

Nous avons analysé les dossiers et le matériel d'évaluation psychologique de quatre-vingt-dix abuseurs. Environ la moitié de ce groupe a été rencontré dans des contextes différents par l'auteur de cette étude. Il s'agit d'expertises psycho-légales tantôt demandées par la Couronne, tantôt par la Défense, et cela aussi bien à la Cour des Sessions de la Paix (causes criminelles), qu'au Tribunal de la jeunesse. Un certain nombre de cas ont été vus par l'auteur dans le contexte de demandes de consultation individuelle ou de couple, ou de psychothérapie, en cabinet privé. L'autre moitié de l'échantillon a été rencontrée par des collègues dans le contexte d'expertises psycho-légales pour le Tribunal de la jeunesse.

Nous ne prétendons pas à la représentativité de l'échantillon, d'autant plus que la totalité des cas étudiés avait soit fait l'objet d'un signalement au Directeur de la Protection de la Jeunesse (D.P.J.) ou d'une poursuite judiciaire, soit pris la décision de consulter de son propre chef. Les abuseurs dont la carrière se poursuit sans histoire, ou ceux qui ont éventuellement connu un épisode d'abus sans détection, sont forcément absents de l'échantillon.

Soulignons que le cadre de la grande majorité des rencontres faites avec les abuseurs de cet échantillon, en était un de diagnostic. Pour les fins de la présente étude, tous les diagnostics ont été posés par l'auteur, bien que plusieurs évaluations ont fait l'objet d'une étude de cas entre l'auteur et les collègues. Ceux-ci ont fourni à l'auteur le matériel de l'évaluation, *i.e.* le résumé des rapports psychosociaux, les observations durant l'entrevue, le contenu de l'entrevue, le matériel des tests et, finalement, leur propre synthèse. Tous les évaluateurs travaillent dans le même schème de référence, *i.e.* le schème psychodynamique, et utilisent la même grille nosologique (*cf.* supra).

L'échantillon des 90 abuseurs a été subdivisé selon les diagnostics de chacun. Une «case» nosologique recevant un nombre significatif de cas, devenait alors un «type» d'abuseur. Ceci peut paraître une procédure biscornue puisqu'on finit avec un nombre d'entités nosologiques correspondant à autant de types d'abuseurs. Il est néanmoins apparu clair qu'il y a lieu de faire une classe spécifique d'abuseurs des individus porteurs d'une même structure, puisque le sens de leur agir diffère radicalement de celui d'individus appartenant à une autre classe diagnostique. Plutôt que de finir avec une typologie ayant comme porte d'entrée l'abus, on aura à parler du «carencé qui abuse», du «psychotique qui abuse», etc. L'abus ne répond pas à des types *sui generis*, mais est symptôme d'une condition psychologique de base. Il semble donc beaucoup plus rentable (sur le plan de la compréhension des phénomènes) de décrire les types de structures psychologiques chez qui l'abus peut apparaître comme symptôme parmi d'autres. C'est de la condition psychique plus large de l'individu que l'abus tirera son sens en tant que symptôme ou signifiant.

Cela laisse évidemment la question ouverte à savoir: «quel carencé sera abuseur et lequel non», «quel psychotique sera abuseur...» etc. Nous essayons dans la mesure du possible de présenter des hypothèses à cet égard, là où la clinique le permet.

C'est ainsi qu'il a été possible de situer les sujets-abuseurs à l'intérieur d'une grille dont les divers types principaux se trouvent suffisamment représentés pour qu'on puisse dire que, finalement, nombre d'hommes peuvent devenir abuseurs sexuels. L'élaboration de cette grille nous paraît néanmoins nécessaire comme outil diagnostique même si son utilité comme outil de prédiction est loin d'être garantie.

Une grille nosographique est sans valeur pratique si elle n'est pas doublée par des critères décisionnels dûment opérationnalisés. Les critères ici utilisés sont présentés dans le chapitre décrivant la typologie comme telle et sont indiqués sous forme des caractéristiques de la relation et du discours de l'individu, ainsi que du sens qu'a son agir abusif.

Cet exercice diagnostique sur notre échantillon d'abuseurs a donné lieu à la considération de sept types auxquels il faut sans doute ajouter un huitième (nous ne l'avons pas observé, mais on en fait état dans la littérature: les troubles organiques et la déficience mentale). Voici les différentes classes avec le nombre d'individus observés à l'intérieur de chacune.

Tableau de fréquence par type

Classe générale	Sous-classe (s'il y a lieu)	Type	N
La Carence	La carence passive-dépendante	(Type I)	18
	La carence agressive-dévorante	(Type II)	14
Psychose-prépsychose-État «Borderline»		(Type III)	11
La pathologie narcissique	La structure perverse	(Type IV)	17
	La psychopathie	(Type V)	14
	La paranoïa	(Type VI)	8
Le registre névrotique		(Type VII)	8
Les troubles organiques et la déficience mentale		(Type VIII)	—
		Nombre:	90

Dans ce qui suit, nous considérerons à l'intérieur de chaque type ou sous-type: le sens de l'abus sexuel, la nature et le contexte de l'abus, d'autres formes d'agir illicite parmi lesquelles l'abus prend éventuellement sa place. Pour chaque type aussi, on développera brièvement une (ou plusieurs) hypothèse(s) quant à l'étiologie ainsi qu'une courte description des caractéristiques de la relation et du discours. Finalement, un mot sera dit concernant la réaction contretransférentielle du clinicien devant l'individu appartenant à tel type. Quant à la nature et au contexte de l'abus, référence sera faite à la typologie des formes d'agressions sexuelles sur les enfants présentée par Summit et Kryso (1978). Pour des fins d'illustration de nos propos, nous avons opté pour la méthode des vignettes. Bien conscient de leur valeur heuristique relative, il nous semble que, compte tenu de la grandeur restreinte de l'échantillon (N = 90) et compte tenu de l'optique principalement clinique de notre entreprise, la vignette peut «parler» mieux. Pour chaque type (et sous-type), trois ou quatre vignettes seront présentées. Elles seront relativement brèves et tenteront de situer l'abus dans l'histoire de vie du sujet, lui donnant ainsi perspective et sens.

Mentionnons ici que, dans le cas de chaque vignette, les données factuelles ont été suffisamment brouillées pour que toute identification soit impossible. La confidentialité a été ainsi dûment assurée.

PROFIL DES DIVERS TYPES
D'ABUSEURS SEXUELS

— *Remarques préliminaires sur le conflit et ses*
  exutoires, y inclus ceux qui ont trait à la sexualité

Dans la problématique qui nous préoccupe ici, le symptôme comporte sans contredit une dimension sexuelle. On serait donc tenté de se pencher sur cette dimension et de chercher dans les aléas de la sexualité la source ou le sens de ce symptôme qu'est l'abus. Avant tout, doit-on se poser la question une fois de plus, «la sexualité de qui?» De toute évidence, un acte sexuel n'a pas le même sens pour un individu que pour un autre. En d'autres termes, l'élan sexuel (qu'il soit agi ou fantasmé) s'inscrit dans un rapport à l'autre qui est spécifique et qui renvoie encore au sens qu'a l'«objet» à l'intérieur du fonctionnement psychique de tel individu.

Ainsi a-t-on fait grand cas dans certaines typologies de l'identité sexuelle de l'abuseur. Ne faut-il pas souligner dès le départ, que pour nombre d'abuseurs on ne peut parler d'identité sexuelle ni d'ailleurs d'identité tout court. L'identité sexuelle est le résultat d'une organisation psychique et développementale qui fait défaut chez beaucoup d'abuseurs. L'acte sexuel sera donc moins tributaire d'une présumée identité sexuelle que d'une propension généralisée à l'agir plus ou moins anarchique.

71

Cela nous amène à dire quelques mots sur le conflit et ses exutoires. On sait que le conflit psychique génère une tension intrapsychique. Celle-ci devra être liée, pour que l'individu retrouve une certaine aise. Pour ce faire, trois modes principaux sont à la disposition de l'appareil psychique: la somatisation, le passage à l'acte et la mentalisation. Les deux premiers sont relativement du même ordre puisqu'ils réalisent l'abréaction plus ou moins directe: dès que la tension se présente elle s'écoule (se lie) soit dans le corps, soit dans l'agir et cela sans détour par la pensée, la symbolisation, la fantasmatisation. C'est ce qui explique l'aspect automatique de ces deux modes. Si toutefois l'individu a réussi à se donner une organisation psychique plus sophistiquée, la mentalisation ou la fantasmatisation sera l'issue privilégiée. Ce mode est en effet supérieur aux deux autres puisqu'il permet à l'individu d'expérimenter sur le plan mental avec différentes alternatives de gratification (d'abréaction) différée et lui permet donc, secondairement, de supporter un délai entre stimulus et liaison. Mais surtout, l'issue de la mentalisation constitue sur le plan économique une liaison aussi valable que les deux autres. L'être qui réussit donc à mentaliser sera beaucoup plus facilement à l'abri de la somatisation et du passage à l'acte. En revanche, celui qui reste rivé sur — par exemple — le passage à l'acte, y verra s'écouler son énergie psychique qui ne sera alors plus disponible pour une éventuelle élaboration fantasmatique.

Cet état de choses expliquerait le fait que la mentalisation est toujours en souffrance aussi bien chez des patients psychosomatiques que chez des êtres qui font des passages à l'acte fréquents. Certains auteurs parlent d'«alexithymie» (Sifneos *et al.*, 1977; Nemiah et Sifneos, 1970; Beltrami, 1985, 1987), d'autres, de «pensée opératoire» (Marty et De M'Uzan, 1963a, b), d'autres encore de «pensée archaïque» (Nichterm, 1982). Le fait est bien documenté: le délinquant habituel n'a pas de vie de fantaisie. Il ne rêve pas, il n'imagine pas, il ne produit pas aux tâches sollicitant la mentalisation (par exemple aux épreuves projectives), etc .

Or, le passage à l'acte dans le registre sexuel doit être vu dans le contexte plus large d'une propension à l'*acting out*. Souvent ce n'est pas le «sexuel» de ce passage à l'acte qui est la variable déterminante, mais plutôt le mécanisme qui le sous-tend et que nous venons de décrire. Il est d'ailleurs notoire que beaucoup de délinquants sexuels n'ont pas de vie de fantaisie et — plus spéficiquement — n'ont pas de fantaisies sexuelles (Mc Dougall, 1982; Beltrami, 1987).

Ceci pour dire que, dans la typologie qui suit, les différents types ne sont aucunement déterminés par la spécificité de leurs fantaisies sexuelles ni d'ailleurs par les caractéristiques de leur présumée identité sexuelle. L'agir sexuel prend tout simplement son sens dans une organisation psychique beaucoup plus large et sur l'arrière plan de laquelle il doit constamment être vu comme un symptôme, *i.e.* comme un exutoire, parmi d'autres.

— *Remarque préliminaire sur les sources bibliographiques*

Pour chacun des types, un bref rappel sera fait de ce que la littérature psychodynamique ainsi que d'autres sources de recherche ont cru pouvoir avancer quant à l'étiologie des entités mentionnées et leurs caractéristiques cliniques. Il n'est nullement notre intention de donner un éventail exhaustif des hypothèses étiologiques, cette question n'étant pas au coeur de la présente étude. Le choix des considérations relève d'une lecture personnelle de ce qui semble relever d'un consensus «raisonnable» dans la littérature, principalement celle psychodynamique. Le lecteur nous pardonnera, nous l'espérons, d'omettre de rendre à César ce qui appartient à César et de nous restreindre plutôt à des synthèses personnelles, sans doute biaisées (ou — qui sait — enrichies) par notre propre expérience.

a) LA CARENCE

— *Considérations générales quant à l'étiologie des carences*

Ce que l'on sait sur la carence affective ou carence relationnelle (anglais: *maternal deprivation*) c'est qu'elle trouve sa source, en bas âge, dans un manque flagrant de stabilité et de continuité dans le contact avec la figure maternante. À cause de ce manque de continuité, l'enfant ne réussit point à identifier comme source de satisfaction un ensemble de stimuli stable susceptible de devenir un «objet» aimé et aimant réel. On rencontre cet état de choses parmi les êtres qui, dans les deux ou trois premières années de leur vie ont connu des institutionnalisations prolongées (par exemple: crèche, orphelinats, hospitalisations) ou, encore, qui ont été ballottés d'un milieu présumément familial à l'autre.

— *Considérations générales quant aux caractéristiques cliniques communes aux types de carence*

La relation qu'établit tout carencé est caractérisée par une immense avidité orale. Celle-ci est toutefois chaotique dans ce sens qu'elle ne se dirige pas sélectivement sur des objets investis, mais sur tout objet, indépendamment de sa nature. Conséquemment, la recherche de «contact» est fébrile et colorée par une grande urgence, tout en étant vide d'un élan émotif ou relationnel réel. Elle ne dure, en plus, que le temps d'une satisfaction éphémère d'où l'aspect «feu de paille» (ou «hit and run») de ces contacts. Le carencé parait naïf et «innocent» bien que dans ses demandes de contact il y a un manque d'inhibition qui finit par être gênant pour l'interlocuteur. Il y a une agitation vide et avide aux dépens de la mentalisation qui, à toutes fins pratiques est absente. Le carencé, incapable de s'inscrire dans une continuité, est embrouillé quant aux dimensions temporelles (chronologiques) et spatiales de la réalité phénoménale. À cause de l'aspect «feu de paille» et de l'urgence de la satisfaction des besoins, il paraît d'office aux prises avec une instabilité importante, visible également dans l'organisation de sa famille, de son travail, de sa vie sociale ...

Même si on reconnaît une étiologie commune, la clinique nous apprend qu'il y a ici deux sous-types distincts. Ces deux sous-types (que nous nommerons, à défaut d'étiquettes nosologiques plus adéquates, le «type passif-dépendant» et le «type agressif-dévorant»), tout en ayant des traits cliniques communs, accusent également des différences notoires notamment quant à la façon d'approcher l'autre, ce qui, on peut s'en douter, se manifestera éventuellement par deux formes d'abus sexuel assez différentes.

1) Premier sous-type LA CARENCE PASSIVE-DÉPENDANTE

— *Éléments étiologiques distinctifs*

Tout en trouvant l'essentiel de ce qui a été dit plus haut quant à l'étiologie des carences, on note dans l'anamnèse du type passif-dépendant une histoire de «subir passivement». Il semble avoir vécu les multiples abandons et éventuels déplacements sans mobiliser son agressivité d'aucune façon. Il s'agissait la plupart du temps de l'enfant, certes très avide et fébrilement à la recherche constante de gratification, mais qui en quelque sorte ne s'est jamais véritablement identifié à l'agresseur et qui n'a donc pas attaqué le sein frustrant. On se rend compte que, contrairement au type agressif-dévorant, on ne peut parler ici qu'en termes d'«absence de»: il n'a pas réagi, il n'a pas développé de «dents» pour mordre ou attaquer. Il est resté bouche-ouverte-non-dentée et qui suce, avidement il est vrai, mais seulement ce qui lui est fourni.

— *Caractéristiques distinctives de la relation et du discours*

En plus de ce qui a été dit plus haut quant aux caractéristiques cliniques de tout carencé, le type passif-dépendant frappe l'interlocuteur par sa soumission, son désir de plaire, d'épouser les attentes, de dire «comme». Il y a donc une absence (encore une fois) d'agressivité ou de revendication apparente. Il se présente comme démuni et «innocent». Il avoue d'office être un «pauvre type» qui, il est vrai, n'a pas été chanceux, mais qui n'est point méchant. Il correspond à ce que, jadis dans certains cercles psychiatriques, on appelait «la personnalité inadéquate». Le discours est dépourvu de contenu bien qu'aucun élément délusionnel ou délirant ne soit présent. La mentalisation est pauvre et frappe par son extrême naïveté.

— *Éléments contretransférentiels*

La réaction contretransférentielle de l'interlocuteur est habituellement colorée par l'ambivalence: on ressent le désir de rejeter et d'éloigner le carencé et en même temps on voudrait aussi l'adopter. Cette ambivalence vient sans doute de l'aspect «collant» du contact de ce patient mais aussi d'une reconnaissance de la part du clinicien, de la profondeur du manque de celui qui sollicite son attention. En d'autes termes, le clinicien se trouve dans la position ambigüe où il voudrait se protéger contre cette «faim», mais où il voudrait aussi réparer ou combler un vide si évident. Le clinicien ressent invariablement un malaise devant le comportement incorporatif et devant la sollicitation quelquefois indécente. Devant «l'infidélité» du carencé qui rapidement délaisse la personne qu'il semble si totalement investir pour jeter son dévolu sur une autre, le clinicien finit par ressentir sinon une certaine blessure narcissique, du moins un désintéressement rapide.

— *Nature de l'abus sexuel*

L'abus sexuel du carencé passif-dépendant peut être de deux ordres: extra ou intrafamilial (inceste). Quant à celle qui se passe en dehors de la famille, elle prend fréquemment la forme d'un «touch and run». Ce carencé approche un enfant souvent inconnu de lui, sans égard au sexe, *i.e.* garçon ou fille. Il le leurre avec un bonbon ou un peu de monnaie dans un endroit tranquille et le «convainc» à des touchers: frottage, masturbation, fellation. Il choisit l'enfant puisque plus facile à approcher (le carencé peut se sentir inadéquat devant la femme mature) et, somme toute, le trouve davantage à la hauteur de sa propre sexualité infantile.

Quant à l'abus intrafamilial, l'inceste, il est de l'ordre de la véritable endogamie. Il s'agit ici, en effet, de familles très fermées, sans vie sociale aucune, aux relations embryonnaires et utilitaires et où, à toutes fins pratiques, tout le monde est à la recherche d'un maternage primitif et donc de satisfaction immédiate. Se sentant (et étant) trop inadéquat pour aller «ailleurs», le père carencé jette son dévolu sexuel sur ses enfants, un peu comme si cela allait de soi. Il se crée ainsi un genre de «make-believe-family» répondant entièrement à ses besoins primitifs, et sur laquelle il «règne» d'une façon plus ou moins naïvement impériale.

— *Sens de l'abus sexuel*

L'abus sexuel doit être vu ici comme un comportement «incorporatif» parmi d'autres: le carencé, rapidement et naïvement «suce» un peu de contact, susceptible de faire taire sa sensation de vide. Les contacts fortuits sont d'ailleurs facilement sexualisés puisque, souvent, il a appris (à partir de l'autostimulation et à partir des multiples abus dont il a été souvent lui-même victime) qu'il s'agit là de la façon privilégiée de se donner «affection».

— *Autres formes d'agir illicite*

Toujours dans un contexte incorporatif, on rencontre le vol, particulièrement le vol à l'étalage: quand le carencé est tenté, manquant la mentalisation susceptible de l'aider à s'imposer un délai, il ne peut pas résister. Ses vols et fraudes seront d'ailleurs souvent naïfs, par exemple: chèques sans provision, chapardages insensés. À cause de la grande avidité orale et du désir de colmater magiquement ce vide, il n'est pas rare de rencontrer chez les carencés, de sévères toxicomanies et alcoolismes. Finalement, le carencé est le sujet rêvé pour servir d'homme de main à quelque bon psychopathe. Il devient celui qui, en retour d'un peu de sentiment d'appartenance (le «gang») fait le sale boulot.

VIGNETTE 1:
CARENCE PASSIVE-DÉPENDANTE

M. B a perdu son père avant sa naissance. La mère se remarie et aura plusieurs enfants avec le nouveau mari. B reste pour compte dans une très grande famille aux conditions matérielles précaires. Très jeune, il est mis à contribution quant aux travaux sur la ferme. Il ne fonctionne pas à l'école où il se fait surtout valoir comme bouffon. Dans la famille règne une vie sexuelle plutôt désordonnée et anarchique, dans ce sens que les enfants s'engagent tôt dans les jeux sexuels, où voyeurisme et bestialité ne sont point absents. Autour de dix ans, le sujet est initié par une voisine adulte qui, à la satisfaction des protagonistes, l'embarque dans des jeux sexuels de tous genres. Devenu adolescent, B se met à boire et n'arrêtera plus jamais. Il marie une femme soumise et dépassée et aura plusieurs enfants. Il s'engage dans des agirs incestueux dès la tendre enfance de chacun de ses enfants, tant mâles que femelles. Il pousse également l'épouse à avoir des relations sexuelles avec leur fils prépubère. Il explique ses agirs à partir de son alcoolisme, mais aussi à partir du comportement présumément séducteur de ses filles. Il nie l'abus sexuel extrafamilial. B a un emploi régulier auquel il est fidèle depuis vingt ans, mais il a une vie sociale extrêmement limitée.

VIGNETTE 2:
CARENCE PASSIVE-DÉPENDANTE

M. M est le second d'une famille de sept enfants, tous de pères différents. Il dit avoir été «garroché», traînant dans les rues, allant chaparder des choses dans les magasins et «espionner» dans les fenêtres au lieu d'aller à l'école. Il ne sait ni lire ni écrire, sans pour autant être déficient. Il est très mal situé dans le temps et il ne peut dire, par exemple, l'âge de ses frères et soeurs. Quand M a dix ans, sa mère commence à travailler pour «faire vivre» la famille. Il reste avec la mère (qui continue d'être profondément promiscue) jusqu'à ce qu'il rencontre sa femme, de plusieurs années son aînée. Elle a déjà quatre enfants, elle est pauvre et M se donne la mission de prendre soin d'elle. Il abuse de tous les enfants de son épouse. Il a tendance à minimiser, parlant surtout de «frottements» et de «frôlements». Selon lui, il n'y a réellement eu rien de grave, puisqu'il n'y aurait pas eu pénétration «de peur qu'elles deviennent enceintes». Il dit réaliser que «c'est pas des choses à faire» et il souhaiterait «un traitement aux pilules» qui l'empêcherait de devenir excité pour d'autres personnes que pour sa femme. Il nous promet de ne plus jamais retoucher aux filles sauf que «lorsqu'il les voit, ça lève» dit-il. Le tout s'est toujours déroulé en cachette de sa femme qui, lors de la révélation, l'a sévèrement sermonné. Présentement, le tout étant revenu «à l'ordre», il fait part d'une importante récrimination contre sa femme: celle-ci ne se prête guère à certaines fantaisies lors de leurs ébats!

VIGNETTE 3:
CARENCE PASSIVE-DÉPENDANTE

M. Z était au milieu d'une très nombreuse famille dans laquelle il s'est trouvé, pour ainsi dire, perdu et «oublié». Il dit ne pas avoir fait partie du groupe des enfants favoris des parents. Soumis, docile, il a toujours essayé de se satisfaire comme et où il le pouvait. Il s'acoquine, jeune encore, avec sa femme avec qui il aura plusieurs enfants. Il est fidèle à un travail humble et sa famille est «tout pour lui». La famille est totalement centrée sur elle-même et Z construit même un lit qui loge toute la famille (parents et enfants). Z ne nie pas l'inceste (apparemment commis avec tous les enfants) sauf que pour lui, il n'a pas vraiment commis l'inceste parce que le vrai inceste c'est «détruire le corps d'une personne». Il rationalise maladroitement ses gestes abusifs en expliquant avoir voulu faire l'éducation sexuelle de ses filles dans le détail et avec des exercices à l'appui «pour ne pas qu'elles deviennent des courailleuses». Après le signalement, la famille s'est brisée, et c'est l'absence de sa femme qui constitue pour lui la réelle catastrophe. Il est totalement démuni sans elle. Au point où il dit même vouloir mourir. Son besoin d'avoir sa famille autour de lui est vital. Même s'il sait que sa femme ne pardonne pas facilement, il est confiant qu'elle lui reviendra, et que les enfants suivront. L'attitude de Z transpire le misérabilisme, il est abattu et larmoyant, ses traits sont affaissés, il est mal mis et non soigné.

VIGNETTE 4:
CARENCE PASSIVE-DÉPENDANTE

M. A n'a pas de souvenir de son enfance. Il sait par d'autres que, très jeune, il fut placé à l'orphelinat. Il y resta jusqu'à ses douze ans. Ce qu'il se rappelle de cette période, c'est les jeux sexuels entre les garçons d'une part, et avec certains membres du personnel, d'autre part. Il était bouc-émissaire et «zéro» en tout. À douze ans il fut placé chez un cultivateur qui l'abuse sexuellement avec le plein consentement du sujet. Sa vie «affective» ne consiste en effet qu'en cela: le sexe avec pairs et l'adulte qui en prend «soin». Jeune adulte il retrouve un frère et une soeur. Les retrouvailles sont marquées par une rapide sexualisation de la relation. Ses tentatives de se trouver une «blonde» avortent à cause de son incapacité de faire un contact approprié avec une fille. Frustré, il abuse des enfants; petits garçons et petites filles sans distinction. Là, il se sent à la hauteur. Son explication: «On dirait que je voulais m'affectionner». Sa façon de les approcher est très infantile; il se frotte contre leur corps jusqu'à l'éjaculation. Arrêté à plusieurs reprises, ses activités homosexuelles continuent en prison ou à l'hôpital, aussi bien avec des codétenus qu'avec le personnel. C'est lors d'une de ses détentions à l'hôpital qu'il connaît une fille, également hospitalisée (pour désintoxication). Elle deviendra sa femme. Il l'apprécie, non pas qu'il l'aime sexuellement (parce qu'avec une femme il ne sait définitivement pas quoi faire), mais parce que, pour une fois, il a une famille. Il reste sexuellement aussi actif avec des enfants qu'avant le mariage (en moyenne deux attentats par semaine). Il ne comprend aucunement que ces enfants puissent être traumatisés par ses agirs, et dit, «puisque je leur fais pas mal, ils oublient vite ça». Reste que, à plusieurs reprises, il a dû «convaincre» les petits avec un couteau et déclare que «pour ne pas qu'ils (elles) prennent panique, je leur pince la gorge juste un peu, alors ça va mieux». Il se masturbe compulsivement, entretenant des fantaisies d'enfants prépubères. Il se perçoit comme ayant un problème très sérieux bien que son désir de réhabilitation est surtout motivé par le fait qu'il est «tanné d'être en dedans».

2) Deuxième sous-type: LA CARENCE AGRESSIVE-DÉVORANTE

— *Éléments étiologiques distinctifs*

Tout comme le type passif-dépendant, ce type a connu une première enfance caractérisée par de multiples ruptures, abandons et déplacements. Contrairement à ce-lui-là toutefois, le type agressif-dévorant a mobilisé son agressivité. Il a développé une «rage» orale (une faim dévorante) qui semble avoir un double but: se gratifier, mais aussi punir le sein qui n'est finalement jamais gra-tifiant. Ce type de carencé, déjà comme enfant, se distin-guera de l'autre par son agressivité, son apparent désir de faire mal et son «accusation» souvent sans parole adressée au monde entier. Il semble y avoir eu chez lui un développement quelque peu plus évolué que le type précédent, en ce qu'il y a eu une première ébauche pour retenir l'objet — fût-ce par la morsure — tandis que chez le passif-dépendant, les choses coulent à travers lui sans rencontrer l'aspérité d'une dent. Il se peut qu'ici une forme d'identification à l'agresseur ait joué: les aban-dons répétitifs étant vécus comme étant des agressions infligées, l'enfant se défend en agressant à son tour les agents d'abandon.

— *Caractéristiques distinctives de la relation et du discours*

Ici, la revendication est omniprésente. Le carencé agressif-dévorant frappe par son attitude agressive, par l'accusation violente qu'il lance contre tout ce qui est «système» et qui ne fait que le priver ou, plus, lui enlever ce qu'il veut pourtant sans réserve. Tout lui est dû, et ce qui ne vient pas tout seul, il ira le chercher sans égard aux conséquences pour autrui. Son but, en effet, est de se gaver, mais aussi, de briser pour «punir». L'envie est là et la réparation est impossible. Il nous paraît comme un dévorateur, un ogre qui brise ce qu'il touche, et cela, à dessein. Contrairement au passif-dépendant qui «blesse accidentellement» par son avidité et qui s'en excuse, celui-ci ne laisse que des coquilles vides et trouve que c'est bien ainsi. Déjà sa seule apparence exprime ce désir: souvent obèse (si pas trop ravagé par l'alcool et le tabagisme), il prend de la place et usurpe espace physique et psychique de l'autre, quelquefois avec une ostentation désinvolte et cynique.

— *Éléments contretransférentiels*

Ici la réaction ambivalente de la part de l'interlocuteur sera encore plus importante que dans le cas du carencé passif-dépendant. Bien sûr, il ne pourra que reconnaître la béance du manque que sous-tend l'attitude de ce patient et il ressentira le désir d'y «voir». Mais plus forte encore sera sa réaction d'évitement: en effet, l'avidité pantagruélique fait peur et, même, repousse. Elle renvoie sans doute à l'avidité tant bien que mal contrôlée et aux revendications orales existant chez tout le monde (y inclus chez le clinicien). L'aspect cru et désinvolte de ce «mangeur d'hommes» crée néanmoins chez le clinicien une disparition flagrante de toute sympathie ou empathie, d'autant plus que lui-même se trouve à être rapidement accusé par ce patient.

— *Nature de l'abus sexuel*

On retrouve ici l'essentiel de ce qui avait été dit sur le carencé passif-dépendant. Sauf qu'on rencontre dans la catégorie du carencé agressif-dévorant beaucoup plus d'agressivité. Il y a ici une attitude très affirmative de «je prends ce qui me tente» et cela, sans le moindre malaise (qui existe pourtant chez le passif-dépendant à cause de la désapprobation sociale à laquelle ce dernier reste sensible). Il laisse donc sur son chemin des êtres vidés, brisés, laissés en plan. C'est ici qu'on retrouve quelquefois des viols d'enfants assez scabreux et des gestes violents et meurtriers si l'enfant ne se plie pas à ses désirs ou si le danger d'être découvert s'avère trop grand. Quant à l'abus sexuel intrafamilial, celui-ci revêtirait encore plus que chez l'autre type, l'aspect «impérial». Totalement inadéquat dans la société comme telle, le carencé agressif-dévorant impose quelquefois sadiquement sa loi sexuelle et autre sur tous ses sujets. Il est fondamentalement craint par ceux-ci, d'autant plus que l'abus sexuel se doublera souvent de sévices physiques importants.

— *Sens de l'abus sexuel*

L'abus sexuel semble ici servir un double but. Il y a le sens «incorporatif», c'est-à-dire le carencé tente de «faire le plein» afin de faire taire sa sensation récurrente de vide. Mais il y a aussi l'autre sens, celui de s'attaquer au biberon qui ne donne pas assez. Il semble donc qu'il tente de se faire restitution et justice en se donnant le droit d'agresser et de briser. Plutôt que de manger (comme le fait le carencé passif-dépendant), celui-ci dévore avec rage, et, pour se sentir restauré, doit voir le résultat de ses ravages.

— *Autres formes d'agir illicite*

Ce qui a été dit concernant le carencé passif-dépendant est vrai aussi pour le carencé agressif-dévorant. Quand le besoin se déclare, aucun délai n'est possible, donnant lieu à toutes sortes de méfaits d'ordre incorporatif: (vol à l'étalage, chèques sans provision *etc.*). Chez ce type on risque néanmoins de rencontrer davantage d'exploitation, aussi bien envers des individus qu'envers des institutions. Il n'arrête pas de revendiquer agressivement ses présumés droits et, grâce à sa désinvolture, profite quelquefois en double ou en triple de l'aide prévue aux indigents. Soulignons enfin que toxicomanie, boulimie et alcoolisme sont très fréquents chez ce type.

VIGNETTE 1:
CARENCE AGRESSIVE-DÉVORANTE

M. T a connu une histoire de multiples placements dès la très tendre enfance. De personnes significatives dont le souvenir lui est resté en tête, il ne peut en être question. Il a été également placé pendant l'adolescence pour des problèmes de comportements (vols et, possiblement agression sexuelle). Il a marié une femme plutôt problématique et est accusé d'abuser depuis des années de sa fille, prépubère. Cet homme, obèse, délabré et à la santé apparemment chancelante, ne tient que des propos fuyants. Il n'y a aucune mentalisation. Il n'y a que des passages à l'acte dont il dit candidement: «c'est comme quand t'as le goût de prendre une pomme, tu la prends». Quand il a faim, il mange. Quand il manque de «sexe» parce que sa femme refuse de répondre à ses besoins, il prend sa fille «ni plus ni moins» dira-t-il. La réaction de l'autre ne compte pas. «De ce côté-là, je pensais à moi, je pensais pas à elle» note-t-il. Tous les êtres sont investis sur un plan strictement utilitaire, et, avec son attitude orale-dévorante, il jette les contenants après avoir dévoré les contenus. Il parle de sa sexualité avec un manque déconcertant d'inhibition. Elle sert de plat de résistance devant son énorme avidité orale. Même s'il n'est pas dépourvu d'intelligence, il parle candidement de sa rage dévorante en des termes on ne peut plus crus.

VIGNETTE 2:
CARENCE AGRESSIVE-DÉVORANTE

M. L ne sait à peu près rien de son enfance sinon qu'il aurait manqué d'affection et qu'il a été placé longuement et dans un grand nombre de milieux substituts. Parents, lieux, périodes, sont des concepts qui, concernant l'enfance et l'adolescence, se trouvent non-tangibles, non-fixés dans son esprit. Tout ce que l'on sait est qu'il a toujours été plutôt obèse (il l'est énormément maintenant) et qu'il a toujours été totalement dépendant du «système». Il est marié et est accusé d'abus sexuels répétitifs sur son fils de cinq ans. Dans le contact, ses attitudes sont peu engageantes et même hostiles. Son discours n'est qu'une interminable complainte inconséquente, hostile et de mauvaise foi contre la société et toutes les institutions. Quant aux allégations d'inceste, il ne réplique rien à cela, il ne tente aucune explication; il ne fait qu'invectiver les intervenants impliqués. Quant à lui, il se réserve le droit absolu de pouvoir jouer autant qu'il le désire. Il n'est pas question pour lui de travailler, de modifier son style de vie, de payer ses dettes. Au contraire, il blâme ses bailleurs de fonds de lui demander remboursement. Tout lui est dû. Il «demande», «exige», «s'enrage»et se dit fondamentalement victime du système. Bien que capable de verbaliser avec une abondance extrême, il appert que ses capacités d'introspection sont absolument nulles.

VIGNETTE 3:
CARENCE AGRESSIVE DÉVORANTE

M. R vient d'une famille rurale désorganisée mais très nombreuse. Les enfants ont tous été placés à répétition pour revenir occasionnellement à la maison parentale, surtout dans ces périodes où le père pouvait avoir besoin d'une main-d'oeuvre gratuite pour son commerce — également très désorganisé — de matériaux usagés. R, étant parmi les plus jeunes enfants, est abusé sexuellement par ses frères et par ses oncles et commence lui-même, dès l'adolescence une longue carrière d'abus sexuels sur des enfants prépubères des deux sexes. Sans instruction aucune, il vit tôt du vol et d'exploitation grossière. Il marie une jeune fille dépourvue à tout point de vue et, à l'instar de son propre père, fonde une famille nombreuse. Il y règne une atmosphère de violence et d'abus de toutes sortes. La famille est ostracisée par l'entourage à cause des conditions dépravées dans lesquelles elle subsiste et — non le moindre — à cause de la puissante terreur qu'elle exerce sur le voisinage. Vols et vandalisme sont légion mais R défend farouchement sa «bande», en menaçant et en exerçant un chantage éhonté sur tous ceux qui osent se plaindre de son usurpation constante de l'espace physique et psychologique de l'entourage. La présumée protection de sa progéniture n'empêche pas R de faire subir à tous ses enfants des sévices physiques et sexuels importants, au point où tous ceux qui vivent avec lui sont réduits à un équivalent d'esclavage. Son «règne» ne lui profite pourtant peu. R vit dans une pauvreté absolue passant son temps à pester contre le monde entier qui, présumément, le prive d'une vie meilleure.

— *Quel carencé sera abuseur et lequel ne le sera pas?*

Parmi les différents types que l'on retrouve dans la nosologie, le carencé est certes celui qui est le plus susceptible d'être agresseur sexuel envers l'enfant. De par sa pathologie, on oserait dire que tout carencé est un abuseur potentiel. Pourtant, il y en a probablement une majorité qui ne le devient pas. Si ceci est le cas, c'est souvent grâce à un élément surmoïque assez primitif tel que, la peur de l'enfer, une religiosité naïve, ou encore à la suppression ou l'inhibition de la sexualité comme condition ou résultat d'une «autre incorporation» fortement prisée: appartenance à une communauté ou secte religieuse, stupeur alcoolique ou toxicomane etc. Il est évident aussi que l'apprentissage et le conditionnement jouent un rôle dans l'adoption de l'agir sexuel comme moyen de «se donner affection». Souvent, à cause de sa grande avidité de contact, et à cause de son manque d'inhibition et de discernement, le carencé, comme enfant, est abusé sexuellement plus souvent qu'à son tour, aussi bien à l'intérieur qu'à l'extérieur des institutions auxquelles il est confié. Ceci est d'autant plus vrai que l'enfant carencé n'est point protégé par des parents ou des adultes ayant «investi» cet enfant. Il tombe donc fréquemment victime de prédateurs puisque ceux-ci ne craignent point les foudres d'un parent. Ajoutons que cet enfant, la plupart du temps, est plus que consentant puisqu'il apprend tôt que l'activité sexuelle devient le moyen de se procurer la proximité de l'adulte. Devenu adolescent et adulte, il continuera d'essayer de combler son manque béant par le moyen qu'on lui aura appris en bas âge.

Il a été observé aussi que certains carencés commencent seulement la période de l'abus après une plus ou moins longue période de contrôle de leurs penchants. Dans ces cas, l'apparition de l'abus coïncide souvent avec un événement ou une situation qui perturbe leur relative quiétude: la grossesse de leur compagne, la séparation ou le divorce, la perte de l'emploi, etc. Il est clair que ces incidents rompent un certain équilibre acquis et, violemment, mettent le carencé devant son manque et devant son besoin béant de dépendance. Il est à remarquer d'ailleurs, que les autres types à être décrits plus loin, connaissent fréquemment ce patron de l'incident ou de la situation déclenchant une période d'abus, et que cet état de choses est donc loin d'être l'exclusivité du carencé.

b) LA PSYCHOSE, LA PRÉPSYCHOSE, L'ÉTAT «BORDERLINE»

— *Remarque préliminaire*

On aura remarqué que nous traitons de ces syndrômes sous le même générique et donc dans une même «classe». Il s'agit là d'un choix qui est inspiré par la prise d'une position théorique, à savoir: les distinctions entre ces trois entités ne sont que d'ordre quantitatif. Ils relèveraient tous trois de sources analogues et se caractériseraient par des phénomènes cliniques fort comparables quant à leur sens.

Contrairement à des positions théoriques telles que celles de Bergeret (1975) et de Kernberg (1975), la présente part du critère de la présence ou de l'absence (totale ou relative) de la relation objectale (*cf.* supra). L'absence ou la faiblesse de cet organisateur de la vie psychique qu'est la relation objectale, crée chez l'individu un trouble de l'organisation unitaire de la personnalité, se soldant par une frontière floue entre la scène intérieure et le monde extérieur. Ce manque de délimitation à son tour, est responsable de l'angoisse de morcellement aussi appelée angoisse existentielle. C'est là, le dénominateur commun des entités ici mises ensemble. En effet, que ce soit le psychotique, le «prépsychotique» ou le «borderline», ce qui les range dans une catégorie commune, c'est bel et bien l'angoisse de morcellement contre laquelle ils se défendent par un arsenal de mécanismes restitutionnels.

Cette position théorique semble confirmée par de simples observations cliniques, trop souvent ignorées: quand le présumé psychotique sort de son épisode dit délirant, et, selon une psychiatrie descriptive, se trouve donc «guéri», le portrait clinique qu'il présente est bel et bien celui du «borderline». C'est ce qui nous pousse, à l'instar d'autres observateurs, à voir l'état «borderline» et l'état «prépsychotique» comme synonymes. Nous ne faisons pas plus ici la distinction entre ce que certains appellent le «borderline-pôle psychotique» et le «borderline-pôle névrotique» invoquant l'argument qu'il ne s'agit là que d'une distinction de degré d'adaptation (de restitution) et non pas une distinction structurale.

— *Considérations étiologiques*

La psychose n'a sans doute pas une cause unique. Plutôt, telle condition psychotique peut avoir telle cause, telle autre condition peut avoir telle autre cause. Il s'agit néanmoins apparemment toujours de causes qui interfèrent avec, ou mettent en danger sérieux, l'intégrité ou l'aspect unitaire de l'identité de l'individu. Ces causes «morcelantes», peu importe leur nature, ont finalement toujours des conséquences semblables: une forte angoisse de morcellement (sur les plans physique, psychique, existentiel...), endiguée tant bien que mal par un arsenal de mécanismes restitutionnels.

Parmi les causes déclenchant la sensation et de là, l'angoisse de morcellement, on mentionne le plus souvent: des facteurs neuro-bio-chimiques, des facteurs traumatiques ou toxiques, des éléments de nature «systémique» ou familiale, des facteurs inhérents aux relations premières et leurs vicissitudes (par exemple: la symbiose mère-enfant, le désir mortifère parental, la «double contrainte», etc.).

— *Caractéristiques de la relation et du discours*

À un plus ou moins grand degré, on retrouve la plupart des caractéristiques suivantes. Premièrement, il y a les manifestations de l'angoisse de morcellement, une certaine dépersonnalisation, un faible contact avec la réalité (temps, espace, causalité). Les préoccupations existentielles («qui suis-je?»), une négligence par rapport à l'hygiène physique, des émotions incohérentes ou impertinentes, des sensations ou perceptions hypocondriaques et autres distortions corporelles, une très grande difficulté d'engagement et d'attachement, se soldant par une «instabilité» souvent extrême.

Deuxièmement, il y a la panoplie de mécanismes restitutionnels, mis en place pour endiguer l'angoisse de morcellement. Ces mécanismes restitutionnels sont de plusieurs ordres. On y retrouve les idées de référence («on me regarde») les idées d'interprétation («on me regarde parce que...»), les fabulations pouvant aller jusqu'à l'élaboration d'une système idéationnel, délusionnel ou délirant supporté ou non par l'hallucination. On y décèle aussi l'utilisation particulière du langage: élaboré, châtié, recherché, sophistiqué, parfois hermétique; la centration sur le mot comme signifié (plutôt que comme signifiant), de là, quelquefois, recherche obsessionnelle du terme juste ou inhabituel, pouvant aller, dans les cas les plus sérieux, jusqu'à l'utilisation de l'écholalie et de néologismes. On y trouve également l'utilisation de ce qu'on pourrait appeler les «faux identifiants»: les identités empruntées, les éléments «as if» et «faux self», l'imposture, l'attitude théâtrale. Dans le même ordre d'idées on rencontre les intérêts (ou «marottes») autour des para- ou pseudo-sciences, ou, du moins, autour de ces corps de connaissances qui promettent une «connaissance de soi» *in extremis*: psychologie, astrologie, occultisme, religions orientales, ésotérisme, philosophie. Toujours dans la même catégorie, on observe quelquefois une centration sur la mémorisation d'éléments qui identifient (tout en remplaçant les vrais objets) tels que chiffres, dates, noms, numéros, etc. Dans la catégorie des mécanismes restitutionnels, doivent être rangées aussi les fantaisies de «reconstruction du monde» plus ou moins nourries par des théories politiques, sociales, religieuses, cosmiques. Finalement, une obsessionnalisation plutôt insensée (ordre, propreté, structure exagérée) peut également servir à contrôler l'angoisse de morcellement. Sur le plan du contact, ce patient peut aussi bien être très retiré, timide et inhibé que très exhibitionniste et démonstratif.

— *Éléments contretransférentiels*

Le clinicien sent l'absence de vrai contact. Il ne se sent pas investi sur un plan objectal: le discours prime aux dépens des demandes relationnelles. De là, il éprouve un sentiment d'aliénation et d'étrangeté: comme s'il n'était pas en cause comme interlocuteur, et comme si le discours restait enfermé au service, non pas du désir de contact, mais du désir de se donner une consistance, une identité. Ce patient exerce néanmoins une certaine fascination: il vient chercher la question existentielle dormant ou latente chez chacun, il parle également plus directement à l'inconscient. Le clinicien se surprend à observer ce patient plutôt que d'interagir avec lui. Cette mise à distance peut, malgré tout, également être inspirée par un évitement de l'élément fusionnel inhérent à cette rencontre.

— *Nature de l'abus sexuel*

L'abus sexuel peut être ici de plusieurs natures différentes mais répondra néanmoins à ce que Summit et Kryso (1978) appellent l'intrusion psychotique, c'est-à-dire, la victime n'est que prolongement de soi. On rencontre fréquemment l'inceste endogame, c'est-à-dire la situation où un père, assez retiré d'une vie sociale et occupationnelle normale, «garde les choses dans la famille» et sexualise ses liens avec ses enfants comme si cela allait de soi.

On rencontre aussi l'agression sexuelle idéologique, (aussi bien intra qu'extrafamiliale) qui prend souvent des proportions très sérieuses: rites sexuels, «initiations» à saveur pseudo-religieuse, affirmation de la filiation, etc. Les victimes sont souvent dûment endoctrinées et ont énormément de difculté à échapper à l'influence fusionnelle de leur agresseur.

— *Sens de l'abus sexuel*

L'abus sexuel dans ces cas semble facilité par l'absence de frontières entre soi et l'autre et donc par la sensation que l'autre n'est qu'excroissance de son propre désir ou besoin. Souvent, surtout dans l'agression de nature idéologique, la sexualisation des liens avec les enfants est fortement rationnalisée à partir de «théories», de «missions» ou éventuellement même à partir d'un système délirant entier, comportant des sophismes d'ordre religieux, éducatif, social, voire cosmique. L'autre sera alors utilisé comme acteur dans le scénario délirant du psychotique. On doit dire que, dans tous ces cas, l'abus a un sens restitutionnel pour l'instigateur, c'est-à-dire, sert le but d'endiguer l'angoisse de morcellement et, donc, de consolider le contact précaire avec la réalité, même si l'agression est inspirée par un impératif délirant.

— *Autres formes d'agir illicite*

Ces types ne présentent habituellement pas une délinquance très intensive ni variée. On rencontre quelquefois d'autres crimes violents ayant le même sens que l'agression sexuelle (*cf.* supra), la plupart du temps à l'intérieur de la famille: délits ou crimes bizarres répondant à un rituel ou à une idéologie ésotérique quelconque.

— *Conditions menant à l'abus*

Le psychotique n'est certes pas l'abuseur typique. Nous avons néanmoins pu observer deux conditions menant à l'abus. Il se pourrait d'ailleurs que ces deux conditions soient plus liées qu'on le pense. La première est d'avoir été victime d'abus soi-même. La deuxième est d'installer la sexualité ou une de ses composantes parmi les mécanismes restitutionnels. Si l'une ou l'autre de ces conditions sont présentes, les chances existent pour que le psychotique adopte l'abus comme agir, équivalent du délire.

Les grands thèmes existentiels, la mort, Dieu, la sexualité se trouveront en effet plutôt souvent à faire partie de l'idéation privilégiée du psychotique et se retrouveront donc *ipso facto* dans son délire ou son agir délirant.

VIGNETTE 1: PSYCHOSE

M. C vient d'une famille dont les générations sont si mêlées qu'il est difficile de retracer les filiations exactes. Très jeune, il commence à travailler et acquiert une grande habileté artisanale, de sorte que dès l'adolescence, il est économiquement indépendant. Une série de transactions irréalistes aboutissant à une quasi-faillite déclenche chez lui un épisode d'angoisse de morcellement et de croyance que Dieu veuille sa perte. Au plus fort de son délire, il erre dans les rues et s'empare d'une petite fille prépubère. Il invoque l'amnésie, mais l'enquête démontre qu'il y a eu séquestration et abus sévère. L'enfant est par la suite laissée dans un endroit désert. Le sujet — présumément devenu plus lucide — abandonne tout et se «cache» de la police pendant des années, en vivant dans des conditions misérables, selon ses dires, pour «expier» ses fautes. Après sa «réhabilitation» un élément de délire religieux reste présent, où les agirs abusifs sont expliqués comme un événement cathartique ayant pour but de le purifier.

VIGNETTE 2: PSYCHOSE

M. D est le cinquième d'une famille de 5 enfants. Selon ses dires, il aurait reçu dans sa famille un traitement spécial dans le sens qu'il était le «garçon tant désiré». Les autres enfants (filles) n'avaient, de ce fait, été que des «accidents». Celles-ci avaient la consigne de faire très attention au garçon chéri. Le père était artiste et bohème, la mère était autoritaire et omniprésente dans la vie du sujet. Il dit avoir fait des études brillantes qu'il aurait toutefois abandonnées pour des raisons nébuleuses, soi-disant pour se remettre en question. Ses attaches affectives seront également délaissées assez rapidement en faveur de «mises en question existentielles». Il passe par des périodes de ce qu'il appelle «confusions mentales» caractérisées par des recherches de l'absolu. Il se marie enfin avec une fille, elle-même aussi en quête d'absolu, et le couple a rapidement un enfant. Cette enfant sera investie d'une façon étrange; pour lui, ce sera autant l'enfant du soleil, de Dieu que du peuple... Tôt déjà, il délaisse le lit matrimonial pour se coucher dans la chambre de la petite, présumément parce que son épouse a besoin de repos. Il s'est alors installé une intimité très grande entre père et fille qui se sexualisera dès la première enfance de la fille. Il explique la chose (après détection) par la nécessité de prodiguer à l'enfant une «toilette vulvaire» susceptible de la mettre à l'abri de toute infection ou autre «invasion» de source de maladie.

VIGNETTE 3: PSYCHOSE

M. O est le benjamin d'une famille de trois enfants. Ses souvenirs d'enfance sont très embrouillés, la figure paternelle semble être absente de son enfance, tandis qu'il se dit très proche de la mère qui est décrite comme dépressive et langoureuse. À l'école il est assez isolé des autres enfants et en souffre. Il fait des cauchemars répétitifs, entre autre d'une montagne de neige qui le gobe vivant. Il entre dans les ordres mais en sort pour une bagatelle. Il en sera de même quant à un court séjour à une école spécialisée et quant à un passage à l'armée. L'instabilité occupationnelle deviendra chronique par la suite. Il se sépare de sa première femme six mois après le mariage parce que, selon ses dires, elle aurait eu des tendances lesbiennes. Il vivra par la suite avec plusieurs autres femmes avec qui il s'engage dans des rites mi-sexuels, mi-religieux. Il se sent de plus en plus attiré par des philosophies et par des religions ésotériques et rejoint une secte dont les adeptes semblent rationnaliser, à partir de préceptes religieux, leurs penchants pervers. O dévore des livres d'ésotérisme, d'astrologie, et fréquente des centres où chevauchent médecines douces et mysticisme. Il abuse des filles de ses concubines successives en prêchant l'abolition des tabous fâcheux et en rationnalisant la pratique de l'inceste comme un style de vie libérateur pour la société. Tout cela est situé dans le désir de réaliser un «océan d'amour cosmique» où il n'y aura finalement plus rien d'autre que fusion des êtres dans un amour éternel.

c) LA PATHOLOGIE NARCISSIQUE

— *Considérations générales quant à l'étiologie des pathologies narcissiques*

Les pathologies narcissiques semblent résulter du fait que l'enfant ne réussit pas à se différencier totalement de la mère, phantasmée comme toute-puissante. Il est vrai qu'il est déjà sorti de la symbiose proprement dite, il a réussi à se constituer un semblant d'objet, mais il s'agit encore d'un objet «spéculaire» ou intermédiaire, résultat de projections multiples dans la dyade mère-enfant. Ce lien miroir est donc de l'ordre de la complétude narcissique. L'enfant, futur porteur d'une pathologie narcissique, s'accroche à ce lien, gage de sa propre puissance, pour éviter à tout prix d'être confronté à sa petitesse, à son impuissance. En s'appuyant sur le phantasme de la toute-puissance, l'individu ne peut finalement qu'être frustré par la réalité de tous les jours et devra coûte que coûte recourir à la construction d'un «soi-grandiose» qui le protégera contre le dégrisement inhérent à la différenciation d'avec la figure maternelle. L'être, aux prises avec une pathologie narcissique, doit ainsi faire échec à la banalité quotidienne en élaborant un «scénario de vie» qui le garde constamment «high», excité. Cet état d'exaltation, à son tour, vise à maintenir l'illusion de la communion toute-puissante et nous le trouvons sous plusieurs formes chez divers patients narcissiques. Ainsi, le pervers se procurera l'exaltation nécessaire par l'élaboration du scénario pervers, certains narcomanes par la drogue, le psychopathe par le scénario criminel, la personnalité grandiose par l'idée de grandeur, le mysticisme, le sexe, etc.

— *Considérations générales quant aux caractéristiques cliniques des pathologies narcissiques*

Un nombre de traits est commun à tous les types de pathologie narcissique. Il y a donc lieu d'en faire état ici, quitte à énoncer des traits distinctifs, plus loin, quand on traitera des différents types comme tels... Ainsi, le narcissique fonctionne sur un plan unitaire, ce qui veut dire qu'il est libre d'angoisse de morcellement, qu'il a une identité bien dessinée et délimitée et que, en dernière analyse, il présente une causalité objectale (et donc, contrairement au psychotique, non-délirante). Dans le contact (un à un), le narcissique est charmeur et séducteur, flatteur s'il le faut, bien que ces traits ne sont là que pour mieux manipuler. L'autre est, en effet, vu et traité comme un outil ou, au mieux, comme un allié potentiel. Il a des sentiments de grandiosité, d'invulnérabilité et, de ce fait, il se sent généralement une «exception» par rapport aux autres. Il se soumet à la loi du tout ou rien où, finalement, le «rien» est assez bien récupéré comme relevant également de la plénitude («tout rien»). La projection est toujours présente et joue le rôle d'une réflection de son propre désir de perfection. L'autre est alors utilisé comme surface miroitante (et donc investi sur une base de moi-idéal).

Trois sous-types de pathologie narcissique seront ici considérés. Il semble nécessaire de les différencier puisque, à toutes fins pratiques, la phénoménologie ainsi que le sens de l'abus sexuel, accusent des différences selon qu'il s'agisse de l'un ou de l'autre. Les pathologies narcissiques ici développées sont respectivement: la perversion, la psychopathie et la paranoïa.

1) Premier sous-type: LA STRUCTURE PERVERSE

— *Remarque préliminaire*

En considérant ce premier sous-type des pathologies narcissiques, nous avons longtemps joué avec l'idée de subdiviser «le pervers» en trois sous-variétés distinctes, *i.e.* le pédophile narcissique, le pédéraste et la personnalité grandiose à perversion polymorphe. Nous avons toutefois décidé de ne pas procéder à cette précision puisque ces trois sous-types ne se distinguent pas vraiment quant aux sources dynamiques ni d'ailleurs quant au sens de leur agir. Les différences résident plutôt dans la forme particulière que prendra la recherche de satisfaction. Nous traiterons donc de ces distinctions dans la section *nature de l'agression sexuelle*.

— *Éléments étiologiques distinctifs*

On retrouve ici l'essentiel de l'étiologie de toute (autre) pathologie narcissique, *i.e.*, le lien dyadique avec la mère laissant l'enfant dans l'illusion de sa toute puissance. Toutefois, plus que dans d'autres types, le pervers doit son narcissisme davantage à une fixation plutôt qu'à une régression vers ce lien. La nature carrément sexuelle de son scénario peut être due à une sexualisation précoce des liens qui, pour lui, étaient gages d'intégrité narcissique.

— *Caractéristiques distinctives de la relation et du discours*

En plus des traits communs à toute pathologie narcissique (*cf.* supra), il nous faut certes mentionner dans le cas du pervers, l'absence d'angoisse et de culpabilité. Ici encore le charme dans le contact est évident, le pervers se présentant souvent sous des allures de «gentil monsieur». Il est souvent créateur et rivé sur l'esthétique. Ses intérêts esthétiques semblent d'ailleurs être inspirés par la projection de ses propres sentiments de complétude et de perfection. Il est malgré tout capable de se présenter d'une façon (souvent faussement) humble et soumise. Le territoire pervers n'en est pas moins protégé à tout prix et reste la plupart du temps très fortement caché même si son discours transpire un semblant de totale honnêteté.

— *Éléments contretransférentiels*

Le pervers inspire chez le clinicien une ambivalence certaine. D'une part, l'érotisation des relations ainsi que, éventuellement, le maniérisme qui en est tributaire, sont susceptibles de créer un désir de «garder à distance» ce patient. D'autre part, l'étiquette dans le contact ainsi que «l'esthéticisme» peuvent fasciner l'interlocuteur qui peut alors se sentir investi sur une base narcissique et y trouver son compte! Dès lors, séduit, il sera victime de la séduction et donnera dans une bienveillante complaisance.

— *Nature de l'abus sexuel*

Toujours dans le contexte de l'abus sexuel dont est victime l'enfant, nous devons ici mentionner comme phénomène principal, la pédophilie. Cette forme d'abus se solde rarement par une contrainte ou violence physique telle que viol ou autres sévices corporels. Il s'agit plutôt d'une subtile (prudente et patiente) séduction de l'enfant, utilisant charme, tendresse, influence bienveillante et, sous différentes formes, le légendaire «bonbon». De là sans doute le stéréotype du «gentil monsieur». Le pédophile typique se «spécialise» et jette son dévolu soit sur des garçons, soit sur des filles prépubères, rarement sur les deux, ce qui, dans une optique nosologique descriptive amène, chez certains auteurs, la distinction entre pédophilie hétérosexuelle et pédophilie homosexuelle. Sans souscstimer les différences phénoménologiques qui existent entre ces deux «pédophilies», on doit néanmoins reconnaître que, quant au fondement narcissique, les deux types ne diffèrent pas de façon significative. La pédophilie narcissique hétérosexuelle est en effet à voir comme une pédophilie homosexuelle déguisée en ce qu'elle met son auteur à l'abri d'une reconnaissance par trop crue de son homosexualité tout en satisfaisant son désir inconscient de nier la différence entre les sexes (les différences anatomiques entre garçons et filles prépubères étant beaucoup moins marquées que les différences anatomiques entre homme et femme matures). Elle permet ainsi d'éviter la confrontation au corps «menaçant» d'une femme mature, tout en sauvegardant l'artifice ou l'étiquette féminine. Même si l'agir du pédophile est généralement caractérisé par la «gentillesse» et la séduction non violente, on trouve néanmoins dans certains cas une exploitation destructrice systématique: les enfants peuvent être graduellement introduits dans une «réserve» de victimes devant participer à un réseau de prostitution ou de pornographie.

Parmi les pédophiles qui convoitent davantage le garçon, il y a peut-être lieu de mentionner ce que, traditionnellement, l'on appelle le «pédéraste». Ici la projection narcissique dans l'enfant «beau et pur» atteint son apogée, à tel point que, pour certains narcissiques, la pédérastie tient lieu de quasi-religion (à l'image de l'ancien idéal du classicisme grec). On parle d'ailleurs d'office de «boy-worshippers». Loin de l'image du «gentil-monsieur- aux-bonbons», le pédéraste vit selon une philosophie avouée par laquelle il brandit comme un étendard sa perversion et se vante d'un code présumément «éthique» où le jeune garçon n'est pas seulement l'incarnation de son idéal esthétique, mais où il se présente en mentor soucieux du développement de l'enfant. Ce qui ne l'empêche pas d'introduire fréquemment ce dernier dans des réseaux prostitutionnels et pornographiques, le tout dûment rationnalisé, à un point tel que l'on peut parler d'une forme de pédérastie idéologique.

Nombre de pervers se reconnaissent avant tout par le déploiement d'une personnalité grandiose plutôt que par un présumé désordre sexuel. Il n'en reste pas moins que leur sexualité est souvent caractérisée par ce que Freud, dans le cas de l'enfant pré-oedipien, appelait une «perversion polymorphe». Point de spécialisation ici quant à l'objet de leur convoitise. La pédophilie, souvent, tant homo que hétérosexuelle, se présentera comme une des activités perverses parmi plusieurs autres: don-juanisme, homosexualité (avec adulte), fétichisme, etc. Tout objet devient outil et miroir d'autoglorification et cela dans une atmosphère fréquemment pan-érotique.

— *Sens de l'abus sexuel*

Le sens de l'abus sexuel pervers coïncide certes avec les racines dynamiques de la pédophilie. En gros, il faut référer ici à la nécessité, pour le pervers, de se créer le scénario pervers, lui-même gage d'un «high» devant maintenir son illusion de maîtrise et de plénitude d'une part, et d'autre part l'évitement, à tout prix, de sa castration. Pourquoi l'enfant toutefois? Les opinions dans la littérature sont diverses mais il en ressort néanmoins certaines constantes: l'anatomie de l'enfant prépubère permet de nier la différence entre les sexes, préservant ainsi, pour le pervers, le rêve hermaphrodite. Ce rêve, en effet, symbolise bien la complétude, la non-castration, la non-différenciation. Mais, en plus, l'enfant symbolise encore, pour le pervers, la «pureté», la beauté inaltérée, la virginité, *i.e.* la perfection que son «esthéticisme» recherche tant. En d'autres termes, l'enfant comme objet de désir est le seul partenaire à être à la hauteur de son rêve narcissique. Ceci est particulièrement vrai pour le pédéraste dont Geiser (1979) dit qu'il s'aime dans le garçon autant qu'il aime le garçon en lui-même.

— *Autres formes d'agir illicite*

D'autres délinquances sont relativement rares dans le cas du pervers. Sauf, comme souligné plus haut, pour des agirs reliés à sa perversion, tels que l'organisation d'un réseau, l'utilisation de l'enfant à des fins de production de matériel pornographique, etc. Il est néanmoins observé que le pervers s'adonne souvent aussi à l'abus de drogue et d'alcool, autre moyen de se procurer le sentiment, ou l'illusion de totale communion décrit plus haut.

VIGNETTE 1: PERVERSION

M. E était troisième de dix enfants. Le père était scrupuleux, interdisant maintes choses, mais la mère était permissive, du moins envers le sujet qui était maladif. Sa «faible constitution» le rangeait du côté féminin (sa mère, ses soeurs), tandis que les frères étaient davantage dans le clan des mâles. Le refuge dans le monde «maternel» lui conférait donc une place privilégiée, à l'abri de la loi paternelle. Pourtant, l'élément homosexuel de son désir restait suffisamment proscrit pour que E tente d'endiguer tout désir sexuel. En partie dans ce but, et en partie pour répondre au désir maternel, il entre dans une communauté religieuse. Dans cette communauté toutefois, le contact intime et quotidien avec des confrères fait plus pour solliciter ses désirs que pour les endiguer. Malgré le statut (encore) privilégié, et donc narcissiquement payant que lui conférait son appartenance au clergé, il sort des ordres à cause de sa panique homosexuelle en grande partie inconsciente. Il se marie avec une femme, mère de deux petites filles. Son désir se porte toutefois sur les filles et sur leurs amies. Pendant quelque temps, sans

108

violence et sans contrainte, il abuse des filles, surtout par le voyeurisme et par des attouchements relativement bénins. La pédophilie hétérosexuelle sert donc ici le but de «compromis» pour éviter la réalisation de ses véritables désirs, homosexuels.

VIGNETTE 2: PERVERSION

M. N parle de sa famille d'origine et de son enfance comme si il y avait souffert beaucoup, bien que peu d'éléments ponctuels viennent corroborer une telle souffrance. Il semble plutôt invoquer une enfance difficile pour s'assurer la clémence de la Cour devant laquelle il est traduit (pour la n-ième fois) à cause de ses activités pédophiles. On apprend aussi qu'à l'adolescence il a eu une activité homosexuelle très intense. Jeune adulte, il travaille régulièrement et marie une fille dont il apprécie surtout le côté maternant (à son égard). Un fils est né. C'est après cette naissance que commence une longue série «d'attentats à la pudeur». N fréquente les toilettes publiques où il paie des jeunes garçons prostitués, mais aussi, il «séduit», avec gentillesse, argent et gadgets, nombre de jeunes garçons dans des parcs, boisés et cinémas. Une de ses sentences se réduit à la psychothérapie, au cours de laquelle il semble néanmoins jalousement protéger (et sauvegarder) son territoire pervers. Pendant la longue attente d'un nouveau procès, il tente de convaincre les intervenants sociaux (et judiciaires) que son problème de pédophilie est complètement réglé grâce au fait qu'il peut maintenant se complaire avec les partenaires adultes (mâles). Son attrait continue néanmoins à se porter sur des êtres aux allures androgynes. Aussi, malgré un «repentir» superficiel quant à ses nombreux abus d'enfants, il minimise totalement l'impact nocif qu'ont pu avoir ses agirs sur ses victimes («je n'ai jamais utilisé de violence, il y avait autant de tendresse que de sexe» ... etc.).

VIGNETTE 3: PERVERSION

Les antécédents familiaux de M. K nous sont peu connus (entre autres choses parce qu'il garde son passé sous couvert). Chose certaine, il déclare à qui veut l'entendre qu'il ne vit que pour le sexe. Se déclarant «bi-sexuel», et d'une promiscuité inouïe, il reste néanmoins marié de longues années et aura quatre enfants, une fille (son aînée) et trois garçons. Nous ne connaissons que le bout de l'iceberg de ses activités sexuelles; ce bout reste toutefois assez spectaculaire. Il abuse de sa fille depuis la naissance de celle-ci, jusqu'à ses vingt ans. Au moment où nous sommes saisis du cas, ses contacts incestueux sont quasi-quotidiens et extrêmement variés dans leur sordidité. Ils comprennent sodomie et relations complètes dès que sa fille a six ans. À partir de onze, douze ans, il organise des partouzes avec des amis de taverne, pendant lesquelles la fille doit satisfaire tous et chacun et auxquelles s'adjoignent quelquefois d'autres «exécutants» (filles et garçons prostitués). K utilise sa fille pour des fins pornographiques (photos) et l'endoctrine dans un genre de philosophie perverse. Il est fort probable que ses fils connaissent à peu près le même lot que leur soeur. Il appert que K utilise les trois quarts de son temps éveillé à rechercher et organiser ses séances de sexe et que tout ce qui bouge est perçu par lui comme étant objet de plaisir potentiel. Il règne, grandiosement, comme un démiurge sur son monde «d'objets» et cela tout en jouissant d'une certaine respectabilité dans la communauté, grâce à sa «bonne personnalité» caractérisée par beaucoup de charme, de séduction, de manipulation et — donc — de subtile exploitation.

VIGNETTE 4: PERVERSION

M. P est troisième d'une famille de trois. Il était, paraît-il, proche de sa mère, tandis que le père est décrit comme un être impossible, brutal et alcoolique. Entre les trois enfants (trois garçons) régnait une vie sexuelle fébrile qui se répandait rapidement dans l'entourage (voisin(e)s, cousin(e)s, animaux de la ferme). Un oncle maternel (adulte) aurait participé activement aux «séances érotiques» des trois frères. Devenu adolescent, P devient l'amant régulier d'un ecclésiastique et cela «aussi bien pour le plaisir que pour les faveurs (matérielles)». Sa vie hétérosexuelle est toutefois aussi intense et il marie à vingt ans, une fille de dix-sept ans,

111

enceinte de lui. P aime parader, soigne exagérément son apparence, est couvert d'or et de diamants et ne pense qu'à impressionner et séduire. Adoptant une occupation qui lui permet de «sonner à beaucoup de portes», il profite de toutes les occasions, de tout âge et de tout sexe. Adulte, il garde néanmoins une certaine prédilection pour l'homme d'Église dont il a séduit un grand nombre, paraît-il. Paraissant bien, gagnant bien sa vie, étant intelligent, relativement cultivé et ayant la parole facile, bien des portes lui sont effectivement ouvertes lui permettant d'avoir une vie perverse des plus polymorphes. Il consulte finalement, pour se couvrir, suite à une arrestation dans une toilette publique avec un jeune prostitué prépubère. Il compte sur la clémence de la Cour étant soi-disant, en thérapie. Aucun désir de changement n'est pourtant décelable.

2. Deuxième sous-type: LA PSYCHOPATHIE

— *Éléments étiologiques distinctifs*

Ici aussi nous retrouvons le lien dyadique avec la mère laissant l'enfant dans l'illusion de sa toute puissance. Toutefois, plutôt que d'avoir affaire à une fixation à la période d'avant la séparation, il y a tout lieu de croire que la psychopathie soit la résultante d'une régression vers cet état de communion. Dans bien des cas, en effet, on observe que le psychopathe a été investi par la figure maternelle d'une façon tout à fait particulière, de sorte que, là aussi l'on parle de «relation narcissisante». Toutefois, cette figure maternelle, elle-même souvent ambivalente à l'égard de son enfant, établit avec celui-ci un genre de «relation yo-yo» (alternance rejet agressif — récupération coupable). L'enfant, dans une telle conjoncture ne peut que se défendre. Mené souvent de force vers la séparation — insoutenable puisque brusque — cet enfant, pour ne plus connaître cette alternance destructrice qui le laisse chaque fois intensément démuni, se réfugie dans un genre d'illusion, celle de contrôler lui-même la situation. Il devient ainsi, bien que sur un mode illusoire, le seul maître de sa destinée. Le moyen qu'il utilisera toutefois pour préserver cette illusion sera calqué sur l'activité qui le menace: l'exploitation et l'agressivité. L'autre étant un agresseur en puissance, il se défendra par l'attaque, instaurant ainsi le jeu d'exploiteur-exploité où il convient d'être du bon côté pour éviter de tomber dans le camp de l'exploité où la survie est impossible.

— *Caractéristiques distinctives de la relation et du discours*

Le psychopathe aussi, est libre d'angoisse et de culpabilité. Il se sent continuellement à la recherche d'une source d'excitation, il ne peut pas attendre, le temps et le délai étant toujours sources de frustration. Il entretient une forme de pensée magique: il croit que les choses vont se régler, il se perçoit comme invulnérable, tout-puissant, exceptionnel. Ici encore, la règle du tout ou rien est la seule qui existe et, conséquemment il se sent ou bien tout (le plus fort, le plus habile, le plus n'importe quoi) ou il ne se sent rien du tout (dévalorisation complète, le fameux «état-zéro» de Yochelson et Samenow, 1976). Dans une relation d'un à un, il se montre extrêmement manipulateur et séducteur (et réussit bien) à l'égard de quiconque pourrait lui valoir quelqu'avantage. L'autre sera traité comme un outil et ne sera investi que dans la mesure même où il se fait complice (ou miroir). La plupart du temps, il est parfaitement conscient de l'aspect condamnable de ses actes, mais il s'en fiche. Selon lui, ses troubles et ses difficultés viennent du monde extérieur et n'ont rien à voir avec ses propres gestes ou sa propre attitude. Pour expliquer ceux-ci, il se donne d'ailleurs d'excellentes excuses sociologiques, psychologiques et autres.

Le discours est caractérisé par une causalité intacte, les contenus sont souvent livrés sur un ton de fausse confidentialité, cherchant subtilement une complicité implicite. Il ne se compromet toutefois pas.

— *Éléments contretransférentiels*

Il n'est pas rare que le psychopathe exerce une fascination sur le clinicien. Le «charme» et, somme toute, la séduction du psychopathe, du moins dans une relation d'un à un, font de lui un être souvent attachant. Son panache et ses frasques parlent à l'imagination de chacun. En plus, il a le don de projeter sa propre grandiosité sur l'interlocuteur (surtout si celui-ci a quelque pouvoir), ce qui constitue pour ce dernier une nourriture narcissique dont il peut courir le danger de se gaver. Surtout si cela est le cas, cet interlocuteur est quelquefois leurré dans une complicité vague et ambiguë. D'autre part, il arrive aussi que le clinicien se défende farouchement contre ces leurres et que, sa connaissance des méfaits de son patient aidant, il veuille «casser» ce dernier.

— *Nature de l'abus sexuel*

On pourrait dire que chez le psychopathe, «tout va». On rencontre aussi bien le viol d'enfant, l'inceste ou l'agression sexuelle dite misogyne, des activités carrément perverses et l'inceste impérial. Le psychopathe n'a pas de «spécialisation», mais prend plutôt avantage de toute opportunité qui lui est offerte, ce qui ne l'empêche pas de créer activement ces mêmes opportunités. Quand les conditions d'une agression hétérosexuelle (celle qu'il prise pour affirmer son statut «macho») manquent, il n'a que peu d'hésitations de se procurer la même chose dans le registre homosexuel (comme son agir carcéral le démontre éloquemment).

— *Sens de l'abus sexuel*

Celui-ci répond la plupart du temps à une causalité objectale intacte: c'est-à-dire, le psychopathe commet rarement un acte qui ne lui procure pas quelque gain au sens large du terme (malgré le fait que certains l'ont appelé «a rebel without a cause»). Le gain peut toutefois être de nature diverse: la satisfaction sexuelle, l'affirmation de son pouvoir, le gain monétaire ou matériel, l'élimination d'un témoin gênant... En fait, le but ultime réside bien toujours dans son besoin insatiable de maintenir un genre de «high» narcissique, et le sexe joue un rôle prépondérant dans l'arsenal dont il dispose pour se procurer ce «high». Il choisira l'enfant (de préférence la fille) parce que plus accessible et moins embarrassant; il peut exercer son influence et ses menaces sans devoir prendre le trop long chemin de courtiser ou de séduire. Devant le danger d'être découvert ou dénoncé, il peut décider d'éliminer sa victime.

— *Autres formes d'agir illicite*

L'abus sexuel est ici une forme d'agir délinquant parmi beaucoup d'autres et — si découvert — ne constitue souvent que le bout visible du glacier. Ces agirs se situent dans tous les domaines et ont pour but le gain, le pouvoir, le sexe, le «thrill»...

VIGNETTE 1: PSYCHOPATHIE

M. Q est le troisième d'une famille de sept enfants. Malgré le fait qu'il idéalise fortement les deux parents, il semble avoir été un enfant très turbulent et constamment en opposition contre l'autorité parentale. Selon son analyse, il était à la fois l'enfant préféré de sa mère et le mouton noir du reste de la famille. Dès l'enfance, Q s'est engagé dans des comportements illégaux et destructeurs de tous genres. Il raconte plutôt fièrement qu'il s'en est toujours bien tiré en déjouant les «les forces de l'ordre». À seize ans, avec l'aide d'un travailleur social, il s'installe dans un appartement avec une fille à peine pubère, enceinte de lui. L'enfant qui naîtra de l'union sera placée dès sa naissance. Le couple a rapidement un autre enfant, la mère déserte le foyer mais Q cohabite immédiatement avec une jeune voisine, avec qui il couchait d'ailleurs, depuis avant la naissance du deuxième enfant. L'enfant grandit et assiste aussi bien aux scènes violentes qu'aux ébats amoureux du couple. La petite «voisine» part à son tour et Q garde l'enfant seul. Il boit démesurément et amène à la maison une longue série de partenaires de passage. Il est évident qu'il vit du fruit d'activités illégales puisque, pourtant sans travail, son train de vie est impressionnant. Sa fille devient en quelque sorte sa «mascotte», hautement investie comme un «double de lui» et exhibée comme un objet de désir. Bien que ce soit nié par père et fille, l'école, les voisins, la famille ont la certitude d'agirs incestueux plus graves.

VIGNETTE 2: PSYCHOPATHIE

M. F est l'aîné d'une famille de deux garçons. Il est hyperactif et devient «l'enfant turbulent» dès la maternelle. Il fait et organise des «coups pendables» mais la mère cache ses frasques au père, puisque celui-ci était présumément trop violent. À l'adolescence les jeux tant homo que hétérosexuels sont légion mais aussi le vol à l'étalage, le vol par effraction et le vandalisme; de sorte que F fait un séjour de deux ans dans une institution dite de rééducation. Dès sa sortie il chaparde de l'argent à sa mère et se lance dans le commerce de la drogue. Avant ses vingt ans, il est père de quatre enfants, avec quatre filles différentes. Il n'a jamais vu aucun de ses enfants. Il continue dans le commerce de la drogue, dans le vol et le recel et sera arrêté pour une affaire de viol pour laquelle il est acquitté. Sans emploi, il roule néanmoins avec une puissante auto-sport et cohabite successivement avec un grand nombre de femmes, dont certaines se prostitueront pour le faire vivre. Il vit enfin avec une femme ayant une fille de huit ans. Pendant que cette femme travaille, F organise de petites partouzes avec sa «belle-fille» et deux amies de cette dernière. Ces filles sont d'abord dûment payées pour leurs services, ensuite menacées, jusqu'à ce qu'elles révèlent les faits. F nie tout et réussit à bâtir une argumentation pour se soustraire à toute poursuite.

VIGNETTE 3: PSYCHOPATHIE

M. V a eu une enfance et une jeunesse pour le moins mouventées. Brillant mais hyperactif, il était «l'enfant terrible» des nombreux milieux scolaires qui l'ont vu défiler. Les parents, dépassés, lui trouvaient en effet les écoles privées les plus chères, mais les cotisations pourtant très élevées ne suffisaient point à acheter l'indulgence de ces collèges devant les frasques de fiston. Celui-ci profite en plus de l'aise financière des parents pour régler de multiples dettes de drogue et pour couvrir des résultas fâcheux de certaines de ses escapades. À dix-huit ans il a réduit en ferraille trois ou quatre autos, il accumulé quatre mille dollars de contravention pour vitesse excessive, il a mis enceintes au moins trois filles. La mère colle la plupart des pots cassés — à coup de grosses sommes — et cela bien souvent en cachette du père.

À vingt ans, V se marie avec une femme du même âge, mère d'une petite fille. Les deux époux continuent néanmoins la vie effrenée de leur adolescence, tout en étant plus ou moins entretenus par les parents. Un garçon naît de l'union. À vingt-trois ans, V se retrouve seul, est cocaïnomane et, pour supporter sa dépendance, fait partie d'un réseau d'importation. Le «fast life», comme il le dit, s'intensifie avec une longue chaîne de «fast cars, fast girls, fast fixes». Extrêmement charmant et manipulateur, il se sort néanmoins de la plupart des impasses et exploite impunément un nombre impressionnant de personnes qui continuent de lui donner «le bénéfice du doute» à cause de ses bons parents — association sur laquelle V ne manque pas de capitaliser. Chroniquement sous l'influence de la cocaïne, lors de l'exercice de ses droits de visite, il abuse à répétition de la fille de son ex-femme ainsi que de son propre fils. Les faits étant corroborrés par ailleurs, il ne peut point nier mais, dans un premier temps rationnalise la chose en la situant dans une philosophie pan-hédoniste. Quand coincé davantage, il attribue les faits à sa présumée «maladie» c'est-à-dire la toxicomanie. Il convainc alors le système judiciaire qu'il suffit de le «guérir» de sa cocaïnomanie pour que des gestes fâcheux ne se reproduisent plus.

3. Troisième sous-type: **LA PARANOÏA**

— *Remarque préliminaire*

D'aucuns seront surpris de voir traiter de la paranoïa dans le groupe des pathologies narcissiques plutôt que dans le registre psychotique. Il ne s'agit point là d'un résultat de l'inattention mais plutôt d'un choix délibéré basé sur l'observation clinique.

Cette position n'est pas nouvelle mais était déjà implicitement énoncée par Freud dans son analyse du cas Schreber (1911) quand il attribue la paranoïa à une fixation au «stade du narcissisme», stade intermédiaire entre un stade d'indifférenciation totale et un stade où l'autre existe comme «objet». Cette «situation» de la paranoïa a gagné beaucoup d'adhérents depuis l'étude renouvellée du narcissisme et de ses pathologies. Il est en effet notoire que le paranoïaque, en dehors de ses périodes de délusion persécutoire, fonctionne en tout lieu comme la personnalité grandiose, forme de pathologie narcissique. Selon cette vision, ce n'est que l'ajout périodique de la délusion persécutoire au portrait clinique du paranoïaque, qui aurait inspiré la psychiatrie descriptive de ranger cet état parmi les psychoses, et cela à cause de l'analogie entre la délusion de persécution et le délire psychotique. Selon la présente façon de voir les choses, il y a forcément une différence qualitative entre paranoïa et schizophrénie paranoïde. Dans cette dernière entité, l'élément de persécution désigné par le terme «paranoïde» n'aurait aucune commune mesure avec le mécanisme de la paranoïa et répondrait à des constructions intrapsychiques différentes.

L'hypothèse étiologique de la paranoïa ici adoptée sera énoncée dès la section suivante.

— *Éléments étiologiques distinctifs*

Comme dans les autres sous-types de la pathologie narcissique, on retrouve à la base de la paranoïa, un lien dyadique avec la mère laissant l'enfant dans l'illusion de sa toute-puissance, le laissant donc aux prises avec un narcissisme important. Toutefois, ce qui distinguera le paranoïaque des autres formes de narcissisme pathologique, c'est l'influence d'un agent (souvent le tiers — une figure parternelle) qui interdit certaines composantes de ce narcissisme, particulièrement l'homosexualité (qui, en effet, est toujours inhérente au narcissisme en raison de l'aspect miroir, évitant la reconnaissance des différences, donc de l'incomplétude). Or, selon la (déjà ancienne) hypothèse freudienne, ce patient bâtit alors une formation réactionnelle pour rester à l'abri de la reconnaissance de son élan homosexuel («je ne t'aime pas, au contraire, je te haïs»). Le résultat de la formation réactionnelle, *i.e.* la haine, est ensuite projeté dans l'autre, donnant lieu à l'idée ou à la délusion de persécution. Les idées de grandeur du paranoïaque sont donc, en fait, identiques à celles de tout autre patient narcissique en ce qu'elles plongent leurs racines dans la même source étiologique, tandis que les idées de persécution s'y ajoutent comme une particularité répondant à la mécanique étiologique déjà décrite.

— *Caractéristiques distinctives de la relation et du discours*

Ce patient se présente habituellement d'une façon digne, conscient de son importance et ayant la nette certitude d'avoir la raison et le droit de son côté. Il a un sens de justice aigu et jongle avec les principes dont il est à ses yeux un porte-étendard fidèle. À part toute la panoplie de traits tributaires de sa grandiosité, il déploie également les éléments davantage inhérents à ses délusions de persécution. Le persécuteur est la plupart du temps un être préalablement investi sur le mode narcissique (donc sur un mode homosexuel — latent ou ouvert) ou une institution, agence ou groupe qui symbolise cet être. La projection, dans son mode d'interagir et de discourir, est omniprésente. La méfiance l'est autant, et non le moindrement envers l'interlocuteur. Son discours contient des argumentations sans fin, élaborant sur des éléments de preuves et d'indices de tout genre qui sont sensés prouver son point. Les moralisations, indignations quant aux failles des autres et les constructions idéationnelles sont légion.

Il est sans doute utile de mentionner ici que le paranoïaque n'est certes pas toujours aux prises avec les délusions de persécution. En fait, dans ces périodes de sa vie où il réussit à mieux intégrer la composante homosexuelle de sa personnalité, il n'est point obligé de l'endiguer par les mécanismes que nous avons décrits (formation réactionnelle, projection). Libre alors des idées de persécution, sa condition ressemble alors en tout lieu à celle de la pathologie narcissique que l'on appelle la personnalité grandiose.

— *Éléments contretransférentiels*

L'élan contretransférentiel devant cet homme est balloté entre la fascination et le malaise. L'interlocuteur ne peut être que fasciné par la construction idéationnelle — souvent fort rationnelle et intelligemment fignolée. Il ne l'est pas moins quand cet homme élabore sa «preuve» pour étayer ses éventuelles délusions de persécution. Mais le malaise aussi est rarement absent devant le paranoïaque. Malaise d'abord devant la possibilité, tout sauf théorique, d'être à son tour investi en tant que persécuteur. Malaise aussi devant le totalitarisme ou l'absolutisme et donc l'immuabilité de la délusion de cet homme qui, de ce fait, finit par être perçu comme dangereux.

— *Nature de l'abus sexuel*

Cet être si à cheval sur les principes surprend néanmoins par une panoplie d'abus sexuels qui sont toutefois principalement de nature intrafamiliale. On rencontre surtout l'inceste impérial et l'inceste endogame. L'élément pédophile est quelquefois présent et peut porter aussi bien sur la fille que sur le garçon.

— *Sens de l'abus sexuel*

Étrangement, le maintien d'une relation sexualisée avec l'enfant (souvent *son* enfant) a pour but, pour le paranoïaque, d'éviter la reconnaissance de ses tendances homosexuelles quelquefois profondément enfouies. Le facteur déclencheur de l'abus chez le paranoïaque est souvent une conjoncture particulière entre la réalité et la scène intrapsychique. Sollicité par un fait quelquefois anodin, il entre dans une période de panique homosexuelle. Plutôt que de déclencher comme contre-mesure la délusion persécutoire, il se défendra contre sa panique par l'agir-compromis. L'abus de l'enfant constitue alors aussi bien la satisfaction de la pulsion homosexuelle que la défense contre cette même pulsion. En dernière analyse, l'abus sexuel garde le paranoïaque à l'abri de la délusion de persécution. Son élan vers le corps «pur et non sexué» de l'enfant l'aide à nier la pulsion non-acceptée à l'intérieur de lui. De plus, ce même corps enfantin sert d'écran de projection de son propre désir de purification et donc de pureté.

En d'autres occasions toutefois, il projette dans l'enfant son propre trouble sexuel, et, en s'attaquant à l'enfant — même sexuellement — veut «exciser» le mal de cet enfant, et de façon vicariante, de soi-même. Il arrive également que «l'impérialisme sexuel» fasse tout simplement partie des délusions de grandiosité où il se donne pratiquement le pouvoir de vie ou de mort sur ses sujets. Cela peut même se solder dans des cas beaucoup plus pathologiques par un réel système délirant où l'abus sexuel répond alors à l'exécution d'une mission. Souvent un agent puissant extérieur (Dieu, diable) lui a alors confié cette mission dans un but de justice, de punition, de sauvetage ou de purification de la race ... etc. Les apparences feraient croire qu'on se situe ici en psychose franche. Toutefois, le fait que ces délusions soient davantage inspirées par l'impératif d'affirmer l'intégrité et la complétude narcissiques plutôt que par celui de faire taire l'angoisse de morcellement, nous fait dire qu'on reste malgré tout dans le registre de la pathologie narcissique.

— *Autres formes d'agir illicite*

Répondant toujours au même sens dont nous venons de faire état, le paranoïaque peut s'engager dans plusieurs autres activités destructrices: agression sur le (présumé) persécuteur, investi souvent préalablement sur un mode narcissique (voire érotique); crimes répondant à une mission; crimes idéologiques. Il s'agit ici très peu souvent de méfaits ou de crimes qui ont pour but le gain ou le profit. Les méfaits sont d'ailleurs rarement récurrents puisque, l'exécution de l'impératif ne demande souvent qu'un seul geste — de là, jusqu'à un certain point sa dangerosité et son imprévisibilité.

VIGNETTE 1: PARANOÏA

M. G était 3ième de 7 enfants d'une famille où régnait un régime de terreur, imposé par un père froid et tyrannique. Pourtant investi par la mère, le sujet, selon ses dires, ne vivait que frustration et renoncement. Il connaît une adolescence turbulente où c'est lui qui impose sa loi et affirme sa puissance où il le peut. Sexe, boisson, puissantes autos et vigueur physique sont parmi les moyens par lesquels il se donne l'illusion du pouvoir. Il hait les homosexuels mais est fasciné par le lesbianisme. Malgré le fait qu'il dévalorise fortement les femmes, il se marie avec une personne qui a une fille d'un premier mariage. Cette fille prépubère devient rapidement victime d'un abus qui durera plusieurs années. Après que les faits eurent été connus, le sujet ne le nie point, mais il nie néanmoins sa responsabilité. Il accuse la fille d'être hypersexuée, précoce, manipulatrice et — qui plus est (pour lui) — lesbienne. Son récit ressemble à celui d'un adolescent hyperjaloux des présumées activités homo et hétérosexuelles extrafamiliales de la petite. Cette jalousie a manifestement une coloration paranoïde dans ce sens qu'elle constitue une stratégie défensive par rapport à une dimension homosexuelle chez lui. L'abus ne signifie pas moins, entre autre chose, une négation de ses propres tendances homosexuelles, donc revêt l'élément paranoïde. Cet homme ne manque pas de jeter un sévère blâme sur les appareils judiciaire et social et se sent carrément «persécuté» indûment par ceux-ci.

VIGNETTE 2: PARANOÏA

M. H est l'aîné d'une famille de trois enfants. Il dit avoir été élevé sévèrement, mais avec amour. Il aurait fait de bonnes études mais a passé une jeunesse relativement solitaire, sans accroc et, surtout, selon ses dires, dans le respect des lois tant civiles que religieuses. H dit s'être marié «sans amour» sur un coup de tête, et surtout, sous la menace de la famille de sa femme. Il dit avoir alors eu pitié d'elle qui se disait maltraitée par un homme qui la battait. C'était alors sa première expérience commune avec une femme. H parle avec beaucoup d'amertume de sa vie maritale. Sa femme, avec l'aide de son père (le beau-père de H) l'aurait honteusement exploité. Après la séparation, l'ex-épouse a mis sur pied une «machination diabolique» dans le but de le détruire. Il soutient qu'avec l'aide de son père, du Dr. R, et d'un avocat elle a lavé le cerveau de son fils pour lui faire dire des abominations (l'abus). Les faits allégués sont expliqués par H comme des activités «pour apprendre à son fils l'hygiène qu'il faut à un homme». Il déclare qu'il était important de laver quotidiennement et avec grande sollicitude les organes génitaux de son fils (cinq ans) et cela pour des motifs où s'entrecroisent le désir de propreté absolue et d'évitement de toute invasion du Mal. H insiste

126

sur le fait qu'il est très croyant et que ce qu'il y a de plus important dans sa vie c'est Dieu. En deuxième lieu, c'est de s'aimer soi-même («les enfants, c'est moi»), et, troisièmement, d'aider les autres. Il laisse d'ailleurs entendre qu'il prépare quelque chose d'important pour aider le monde, mais que, pour l'instant, cela doit rester secret.

VIGNETTE 3: PARANOÏA

M. S vient d'une famille où il était seul garçon entre deux filles. Il se vante d'avoir eu une éducation exemplaire à tout point de vue et, à l'instar du père, de mener une vie droite et responsable. Il gagne effectivement bien la vie de sa famille plutôt nombreuse, bien que, après le travail il passe quotidiennement de longues heures à la taverne avec les «habitués» du coin. Son épouse et ses enfants souffrent de sa rigidité et de sa sévérité qui ne se trouvent pas toujours adoucies par une qualité relationnelle que l'on pourrait attendre du «bon père de famille». Il est exagéremment soupçonneux par rapport à ce que l'épouse fait pendant la journée. Il croit que celle-ci peut facilement connaître des aventures avec des hommes de passage, tels que l'employé de l'Hydro qui vient relever le compteur, le (traditionnel) facteur, etc. Il en est de même pour ses filles pubères qu'il croit être sexuellement actives et n'arrête point d'inventer des stratagèmes pour les prendre «en flagrant délit». L'évidence nous apprend par ailleurs que l'épouse est parfaitement fidèle et que les filles sont exemplairement chastes. Or, un dévoilement se fait à l'effet que S aurait caressé une jeune voisine prépubère, amie d'un de ses enfants et qui se faisait quelquefois garder dans la famille de S. Coup de théâtre dans un ciel relativement bleu. S s'arrange néanmoins avec les parents de la petite en donnant une explication apparemment satisfaisante. Il apaise également son épouse en nous consultant. Après analyse de la situation, il devient évident que l'événement abusif servait, caractéristiquement, d'exutoire par rapport à une vague tension homophile reliée à ses amitiés de taverne. La «petite fille» était, une fois de plus, le compromis entre l'évitement de l'homosexualité (il s'agit bel et bien d'une fille) et la réalisation de cette même homosexualité (l'aspect prépubère de l'enfant permettant la négation de la différence entre les sexes).

— *Conditions menant à l'abus (pour les trois sous-types narcissiques)*

L'être aux prises avec une pathologie narcissique sera fréquemment abuseur. Ceci est particulièrement vrai dans le cas du pervers et du psychopathe. C'est moins vrai pour le paranoïaque à cause de son schème éthique souvent très rigide. La centration sur la «loi» et la justice que l'on rencontre chez le paranoïaque, le met souvent à l'abri d'une réalisation par l'agir d'un désir qu'il perçoit lui-même comme illicite ou «défendu». Rappelons que le facteur déclencheur chez le paranoïaque est souvent une panique homosexuelle, engendrée par des circonstances quelquefois anodines mais qui, chez lui, rencontrent le désir prohibé. L'abus constituera alors aussi bien le contrôle de la panique que la satisfaction déguisée de la pulsion prohibée.

Chez le pervers et le psychopathe les choses sont tout autres. Ici, le désir ainsi que l'actualisation de ce désir, sont la plupart du temps egosyntones, c'est-à-dire pleinement acceptés. C'est donc plutôt l'opportunité qui déterminera la présence ou l'absence de l'abus. Ici il importe néanmoins de faire encore la distinction entre le pervers et le psychopathe. Là où, pour le psychopathe, seule l'opportunité semble compter, le pervers peut davantage inhiber ses élans à partir de considérations esthétiques, humanitaires ou morales. Étant moins habité par une dimension destructrice que le psychopathe, le pervers pourra davantage reconnaître l'aspect nuisible de ses approches pédophiles et il pourra endiguer ses agirs, ou, du moins, les sevrer de toute coercition.

d) LE REGISTRE NÉVROTIQUE (ou la «normalité»)

— *Considérations étiologiques*

Parlant du registre névrotique, on fait référence au fonctionnement psychique caractérisé par l'existence de la relation objectale. Cette notion désigne la capacité qu'a un individu de considérer l'autre comme un autre et non pas comme une excroissance de ses propres besoins ou désirs. Elle fait référence à une étape de développement dans la vie de l'enfant, où celui-ci se différencie du «monde maternel» et identifie sa source de satisfaction non pas comme une partie intégrante de son désir, mais comme un agent extérieur ayant ses propres volontés et qui peut donc être présent mais qui peut également briller par son absence. Les lois régissant l'acquisition de la capacité de relation objectale ne sont pas très bien connues, mais il y a bien des indices selon lesquels cette capacité s'acquiert grâce à un mélange subtil, dans la relation mère-enfant, de présence et d'absence, c'est-à-dire de gratification et de frustration. La présence, la gratification, aident l'enfant à identifier comme source de satisfaction un ensemble de stimuli stable, tandis que l'absence, la frustration, l'aident à attribuer sa source de satisfaction à un ensemble de stimuli extérieurs à lui, donc indépendant de sa propre volonté ou contrôle.

Toujours est-il que, quand l'enfant a ainsi reconnu son objet d'amour comme un objet extérieur, il sera aux prises avec le désir de garder cet objet, de le préserver, d'en prendre soin. Selon le mode oral, pour ne pas perdre son objet, il tentera de le mettre en lieu sûr, en l'introjectant, en le mangeant; selon le mode anal il essayera de le contrôler; selon le mode phallique, il essaiera de le séduire. Le but sera toutefois toujours le même: s'assurer de la présence de l'objet d'amour, source de satisfaction. Dans la vie ultérieure, à cause des fixations en bas âge, l'un ou l'autre de ces moyens pour garder l'objet, ainsi que les mécanismes qui en découlent, s'installeront comme modes habituels et coloreront donc de façon significative le caractère de l'individu. Une exacerbation d'un de ces moyens («manger», contrôler, séduire) ou, encore des mécanismes qui y sont associés, constitueront ce que l'on appelle un caractère névrotique ou éventuellement une névrose. Le caractère névrotique qui trouve sa source dans une oralité bafouée sera souvent désigné par le terme «caractère dépressif»; le caractère névrotique plongeant ses racines dans une analité laborieuse, s'appellera le caractère «obsessif-compulsif» (ou obsessionnel); le caractère coloré par une situation phallique (ou oedipienne) non solutionnée sera nommé le «caractère hystérique».

— *Caractéristiques de la relation et du discours*

Il serait trop long d'entrer ici dans les spécificités de la relation objectale et du discours de chacune des formes de caractère névrotique. Eu égard à l'objectif de ce texte, il n'est d'ailleurs point nécessaire de le faire. Nous soulignerons toutefois ces caractéristiques qui différencient les caractères névrotiques (comme un tout) de ceux des types nosologiques (pathologiques) décrits dans ce qui précède.

Ainsi, ce qui distingue certes le porteur du caractère névrotique (l'être dit «normal») de celui aux prises avec une pathologie, est la présence d'émois relationnels. Ces émois, évidemment, ont à faire avec la relative réussite ou le relatif échec de s'assurer de la disponibilité de l'objet d'amour (au sens large du terme). Dans le cas du caractère dépressif, il prendra la forme de culpabilité («on ne m'aime pas assez et c'est de ma faute; de par mon avidité orale, j'ai trop endommagé mon objet»). Dans le cas du caractère obsessionnel, l'émoi de base sera le doute («est-ce que je contrôle suffisamment mon objet pour qu'il ne m'échappe pas»). Dans le cas du caractère hystérique on rencontrera l'angoisse relationnelle («en séduisant mon objet, est-ce que je ne commets pas un acte prohibé pour lequel, en plus, je risque d'être puni»). En fait, il y a toujours une préoccupation reliée à l'autre, ce qui fait que dans le contact et dans le discours, l'interlo-cuteur est véritablement sollicité sur un plan relationnel. Dans un contexte clinique d'ailleurs, on sent l'abuseur «névrotique» préoccupé de son éventuelle victime, il veut changer et, généralement parlant, son discours est cohérent, causal et objectal.

— *Éléments contretransférentiels*

Étant véritablement sollicité sur un plan relationnel, l'interlocuteur, quant au contretransfert, «répond» éga-lement sur le même plan. Au risque de sursimplifier on pourrait dire que, en réponse au «aime-moi» du caractère dépressif, le clinicien ressent le désir de prendre en charge cet être d'une façon aimante; en réponse au «sou-mets-toi»du caractère obsessionnel, la réaction contre-transférentielle en devient une d'être sur ses gardes; en réponse à la demande «aime-moi comme être sexué» du caractère hystérique, l'interlocuteur ressent l'appel de la séduction. Généralement, le clinicien n'a point de diffi-culté à investir cet individu et à ressentir envers lui de l'empathie: après tout, on se sent dans le même monde de gens aux prises avec le désir de préserver l'objet!

— *Nature de l'abus sexuel*

Sauf peut-être dans le cas du caractère oral-dépres-sif, l'abus sexuel dans le registre névrotique est rare. Il n'est pas spectaculaire et rarement récurrent ou destruc-teur. Il consiste le plus souvent en un contact sexuel fortuit tel que: jeux ambigus, habitudes familiales naïves, éléments voyeuristes et exhibitionnistes pré-sumément innocents (mais presque toujours culpabili-sants), curiosités sexuelles assouvies de façon malhabiles, «éducation» sexuelle par trop «audio-visuelle». Toutefois, et surtout dans le cas du caractère oral-dépressif il peut prendre des formes plus graves et plus spectaculaires. L'abus dans ce contexte se fait en parallèle avec d'autres gestes plus ou moins impulsifs. Tous ces gestes peuvent alors être reconnus à leur allure auto-destructrice, ou du moins tout se passe comme si l'individu oral-dépressif voulait détruire tout ce qu'il aurait préalablement construit — y inclus sa famille. On y reconnait alors nettement l'équivalent suicidaire.

— Sens de l'abus sexuel

L'abus sexuel, comme symptôme, peut correspondre ici à un agir contraphobique, symbolique, réactionnel compulsif... Il s'agit fréquemment d'un accident de parcours lié à une situation de stress devant laquelle l'agir prend le sens d'une «valve de sécurité». Surtout dans le cas du caractère oral-dépressif, l'agression est fréquemment reliée à l'abus d'alcool et peut aussi signifier un équivalent suicidaire. Dans ce dernier cas, la culpabilité se solde par un élan autodestructeur. La destruction portera toutefois sur tout ce qui rappelle au sujet ses «bons coups». Dans son élan quasi-suicidaire, et pour prouver sa «mauvaiseté», il aura tendance à détruire tout ce qu'il a préalablement fait de bon: emploi, réussite financière, mariage, rôle et statut paternel... Il n'est pas rare de voir ce sujet s'attaquer à l'enfant qu'il a le plus investi, comme si sa destruction comme homme et comme père atteignait dans ce geste l'apogée.

— *Autres formes d'agir illicite*

Tout autre agir délinquant peut revêtir le même sens que précédemment décrit. Il est néanmoins à noter que, à l'instar de l'abus sexuel, l'agir délinquant habituel est relativement rare.

— *Conditions menant à l'abus*

Comme il a été dit plus haut, un événement ou une situation quelconque peuvent ébranler l'équilibre d'un individu au point où l'agir-symptôme vient jouer son rôle «régulateur». Le stress a été souvent mentionné comme étant le sol fertile pour faire éclore cet agir. Qui plus est, vu que l'abus est un événement relationnel, c'est surtout le stress relié à un autre événement relationnel qui sera en cause ici (par exemple: séparations, divorce, difficulté d'ordre sexuel, mortalité, etc.).

Néanmoins, une mise en garde importante s'impose ici. La grande majorité des êtres dits névrotiques, soumis à des périodes du plus grand stress, n'abuseront point.

Où réside alors la différence entre celui chez qui le tabou intergénérationnel est étanche et celui où cette barrière est pénétrable? Notre hypothèse, encore là, réside dans les antécédents sexuels du sujet. On est frappé chez l'abuseur, peu importe de quel type, par l'omniprésence d'une sexualité trouble sinon abusive en bas âge. L'expérience précoce d'un abus pourrait très bien constituer un déterminant important dans la pénétrabilité de la barrière quant aux activités sexuelles intergénération-nelles. Les mécanismes d'un tel (présumé) lien ne sont pas ou mal connus. Toutefois, dans le dernier chapitre nous tenterons de proposer quelques hypothèses à cet égard.

VIGNETTE 1: NÉVROSE

M. J vient d'une famille relativement organisée. Depuis l'enfance toutefois, il a eu beaucoup d'agirs masturbateurs intrafamiliaux entre pairs (avec ses soeurs, avec ses cousines). Ces activités se poursuivent tard dans l'adolescence et cessent quand il trouve des partenaires hors de la famille. J fait de bonnes études, se marie, se trouve un bon emploi auquel il sera toujours fidèle. Il a cinq enfants, dont trois filles, que le couple élève bien. J prend bien ses responsabilités et est relativement heureux jusqu'au moment où deux événement importants se produisent dans sa vie: l'équivalent d'une démotion importante au travail (non relié à un manque de compétence) et une longue maladie de l'épouse. Il intensifie alors de façon sérieuse sa consommation d'alcool. Il déprime assez fortement, il n'a plus d'intérêt pour les hobbies qui le passionnaient auparavant, et toute vie sociale et sportive cesse. Il développe toutefois une curiosité sexuelle envers une de ses filles, celle qu'il préfère depuis toujours. Pendant que celle-ci sommeille, il lui découvre à deux reprises les parties génitales et, la deuxième fois pose sur elle des gestes masturbatoires. La fille, en crise, quittera la maison. Le père passe aux aveux sans hésitations, sa culpabilité est importante.

VIGNETTE 2: NÉVROSE

M. X est issu d'une famille de sept enfants dont il était le deuxième. Jusqu'à l'âge de deux ans il fut élevé par une tante, puisque la mère était malade. Les parents étaient excessivement sévères et contrôlants. L'ambiance familiale était froide, dépourvue de dialogue et centrée plutôt sur la survie matérielle. Pendant l'adolescence X compensera par des activités extrafamiliales intenses: camping, sports d'équipe, etc. Très gêné et timide avec la gent féminine, il s'amourache néanmoins d'une femme séparée, mère de deux enfants dont une petite fille, et cela au grand dam de sa famille qui l'expulse. N'ayant plus de toit, il cohabite avec son amie. De peine et de misère, le couple survit sur le plan économique. L'amie devient enceinte mais doit tenir le lit pendant toute la grossesse. Cette période coïncide avec la mort de la mère de X et avec l'incendie de son lieu de travail, le privant ainsi d'un revenu assuré. C'est là que X fera occasionnellement des attouchements sur la fille de son amie. Ces abus sont très espacés et entourés d'une immense culpabilité, honte et doute. Quand la fille parle à sa mère, X court immédiatement au poste de police pour faire des aveux complets. Un suivi social (ainsi qu'une évaluation approfondie de la situation familiale après dix ans) démontre qu'il n'y a eu aucune récidive mais qu'il y a, de la part de X «réparation»par tous les moyens.

VIGNETTE 3: NÉVROSE

M. W est un homme dans la cinquantaine. Il a connu une vie sans histoire, son mariage a été relativement heureux, les enfants sont mariés et «bien placés». Il se plaint que sa vie est devenue monotone, sans projet, sans défi. En fin de carrière, ayant jusqu'alors occupé un poste important, il se sent dorénavant «mis sur la tablette». Ses soupers sont quotidiennement précédés de copieux dry martinis. L'épouse, vivant difficilement le départ de ses enfants, s'occupe d'un nombre d'organisations charitables et culturelles et passe en fait régulièrement des soirées hors de la maison. La vie sociale du couple, comme couple, est virtuellement nulle et leur vie intime n'est guère plus riche. Une fin de semaine, en visite chez une connaissance à la campagne, W se baigne dans la rivière qui longe la propriété et de très bonne humeur grâce au «drinks» de l'après-dîner, il joue bruyamment avec quelques enfants qui se trouvent au même endroit. Une jeune fille de dix ans raconte le même soir à sa mère que le «monsieur qui les amusait» avait glissé sa main dans son costume de bain et, caché par l'eau, avait caressé sa vulve. Confronté, M. W avoue avec pleurs et évite des poursuites en entrant en traitement. Il déclare et jure qu'il s'agit là d'un premier incident du genre dans sa vie. Il ne nie toutefois point sa responsabilité et ses efforts thérapeutiques sont authentiques.

e) LES TROUBLES ORGANIQUES et LA DÉFICIENCE MENTALE

— *Remarque préliminaire*

À cause de la nature de notre pratique profession-
nelle, il ne nous a pas été donné de rencontrer des abuseurs de ce type. L'information contenue dans cette
section en sera donc essentiellement une de «oui-dire»,
i.e. tirée de la littérature *ad hoc*. Pourtant, même si plusieurs auteurs parlent d'office de l'existence et même de
la fréquence de ce type, il semble avoir été peu étudié.
Dans la revue de littérature sur les typologies, présentée
dans une section antérieure de ce travail, les «troubles
organiques» ou «déficience mentale» sont virtuellement
absents. La raison de cet état de chose peut résider dans
le fait que ces facteurs n'apparaissent qu'en conjonction
avec d'autres facteurs — éventuellement plus probants
— ou encore, par le fait que ce type, une fois appréhendé,
ne se retrouve tout simplement pas dans les échantillons
soumis à l'étude des chercheurs.

Il est à souligner, enfin, que peu d'auteurs ont voué
une étude exclusive au lien entre l'abus sexuel d'une
part, et les troubles organiques ou la déficience mentale
d'autre part. Les mentions sont prudentes et ténues, les
références maigres. Dans ce qui suit, nous suivrons la
même «prudence». Le même schéma d'analyse sera
adopté que pour les autres types, même si les indications
sont peu documentées.

— *Considérations étiologiques*

Nul doute que de multiples facteurs étiologiques
existent, se soldant par nombre de troubles organiques

spécifiques. La plupart du temps ces facteurs sont iden-
tifiables. Quant à la déficience mentale, la situation est
un peu plus compliquée. S'il est vrai que la plupart des
déficiences ont également une origine organique décelable, il reste qu'un certain nombre demeure d'origine obs-
cure bien que dans leurs cas, on peut souvent inférer un
déficit cérébral.

Parmi les abuseurs dits «organiques» la littérature
suggère une incidence d'artériosclérose (Quinsey et Bergersen, 1976), de troubles neurologiques tels qu'une pathologie ou traumatismes cérébraux (Dix, 1975),
l'épilepsie temporale (Epstein, 1961; Tollison et Adams,
1979) ou un trouble de latéralisation cérébrale (Flor-
Henry, 1974). Tollison et Adams (1979) mentionnent
également la sénilité et d'autres processus dégénératifs
occasionnant une confusion mentale. Rada, dans son
étude déjà mentionnée sur le violeur, souligne l'existence de facteurs étiologiques d'ordre génétique, neuro-
anatomique ou physiologique ainsi que d'ordre
psychoendocrinologique (1978). L'incidence enfin, de la
déficience mentale (peu importe ses sources étiologiques) a été remarquée par plusieurs auteurs dont Murphy
et al. 1983a, 1983b et Selling, 1939.

— *Caractéristiques de la relation et du discours*

Il serait osé de s'engager ici dans une description des
particularités de la relation et du discours de diverses
formes de troubles organiques. On renvoie le lecteur à la
littérature *ad hoc*. Mentionnons néanmoins que l'être aux
prises avec une organicité d'origine neurologique affiche
fréquemment une attitude d'impuissance. Aussi bien
l'organique que le déficient avouent d'office leurs écarts

de conduite (par exemple: Murphy *et al.*, 1983a) mais ils sont plus enclins à se défaire de toute responsabilité et de traiter l'agir comme un symptome «médical» auquel le registre conscient ne participe point.

— *Éléments contretransférentiels*

En réponse (consciente ou inconsciente) à l'attitude «symptomatisante» du patient, le clinicien adopte à son tour une attitude «médicale» plutôt que psychologique. Il a donc tendance à regarder le patient en tant qu'être aux prises avec un symptôme — corps — étranger plutôt qu'avec un symptôme ayant un sens. En conséquence, il peut se désintéresser rapidement de l'être humain derrière le symptôme.

— *Nature de l'abus sexuel*

La nature de l'acte peut varier sans doute selon la nature du trouble. Certaines constantes semblent se dessiner à travers la littérature, par exemple l'exhibitionnisme et la masturbation devant la victime. La possibilité existe toujours que l'abus sexuel soit accompagné de violence physique et puisse prendre des formes d'agirs graves et violents. L'identité de la victime est fréquemment déterminée par la seule opportunité, le fait «d'être là» au moment de l'impulsion de l'abuseur.

— *Sens de l'abus sexuel*

Dans le cas des troubles organiques, le déficit ou le débalancement neurologique peuvent être les responsables soit, de la surstimulation menant à l'abus ou encore, de la désinhibition des contrôles corticaux. Il s'agit quelquefois d'une tentative d'abréaction d'une tension par voie sexuelle. Il est néanmoins possible que l'apprentissage ait graduellement ou abruptement sélectionné la voie sexuelle afin d'en arriver à l'abréaction tensionnelle. Dans le cas de la déficience mentale, il s'ajoute à ce qui précède un déficit dans l'apprentissage social et moral rendant l'abus possible. Encore ici, le conditionnement peut avoir déterminé la nature sexuelle de la recherche de plaisir. L'enfant est choisi comme victime puisqu'ayant une sexualité à l'image de celle de l'abuseur.

— *Autres formes d'agir illicite*

D'autres gestes impulsifs peuvent répondre aux mêmes mécanismes abréactionnels chez le patient organique. Chez le déficient mental, le déficit sur le plan de l'apprentissage moral peut être à la base d'une panoplie d'autres méfaits.

— *Facteurs déclencheurs de l'abus*

Tout ce qui stimule le système nerveux central peut être vu comme un élément déclencheur (émotion forte, drogue, alcool, ...). L'opportunité sera ici encore déterminante.

TRAITEMENT

— *Thérapie*

Il n'est pas notre intention de faire une revue de littérature sur le traitement et sur ses succès et insuccès. Toutefois, il peut être de mise, suite à ce qui précède, de s'adonner à quelques réflexions.

Relativement peu de choses ont été écrites sur le traitement de l'abuseur sexuel ou sur les résultats de ce traitement. La plupart des études faisant état des résultats du traitement de l'abuseur, le font en termes de taux de récidive. Un mot sur ce critère s'impose ici. On pourrait sans doute dire de l'évitement de la récidive, qu'il s'agit là du premier objectif de l'effort thérapeutique avec l'abuseur. Pourtant, ce critère est aléatoire et cela à double titre. Premièrement, la récidive est difficile à évaluer: beaucoup d'abuseurs, après un premier signalement, restent à l'abri de la détection grâce à des méthodes plus raffinées ou aux opportunités discrètes qu'offrent les réseaux prostitutionnels auxquels se vouera dorénavant l'abuseur. Le critère de la récidive peut très bien dire davantage sur la détection que sur l'incidence même de l'abus. En d'autres termes, n'est pas nécessairement «abstinent» qui paraît abstinent. Deuxièmenent, même si l'abuseur s'abstient de passer à l'acte, il n'est pas nécessairement «guéri»; la grande majorité des abuseurs continuent de porter en eux le désir envers l'enfant, même si, éventuellement ils réussissent à s'imposer un contrôle étanche quant à l'agir. Nul doute qu'il s'agit là d'un gain plus qu'appréciable. Toutefois, le désir restant vivant, la possibilité de récidive n'est jamais écartée. Suite à cette réflexion, reste néanmoins la question de savoir ce qu'est la «guérison», quelles sont ses chances de réussite, et — s'il y a lieu — quel est son coût économique et social?

Ce qui est frappant dans la littérature c'est que, presqu'invariablement, le traitement se centre directement sur le symptôme, c'est-à-dire sur l'abus sexuel ou, du moins, sur la sexualité «malade» du sujet. C'est ainsi qu'on a vu apparaître des programmes de désensibilisation et d'autres thérapies par l'aversion. C'est ainsi qu'on voit s'organiser les thérapies de groupe pour abuseurs où les thèmes sont — bien sûr — la sexualité et ses avatars. On croit même dans certains milieux que le salut réside dans l'éducation sexuelle. Sous prétexte de la constatation que beaucoup d'abuseurs ont peu de connaissances factuelles dans le domaine de la sexualité, on leur montre dessins et diagrammes de penis, ovaires et autres organes génitaux (s'il y en a) et leur fonctionnement. Quelquefois on prescrit des médicaments inhibant la libido du sujet, si ils ne le rendent pas carrément impotent. Certains pays prônent encore la castration. Bref, autant de moyens «thérapeutiques» se penchant directement sur l'organe sexuel coupable, malade ou ignorant de l'abuseur.

Dans cette étude nous avons beaucoup insisté sur l'abus sexuel comme symptôme puisant un sens spécifique dans une condition psychique dépassant largement l'acte symptomatique. Si cela est vrai, l'effort thérapeutique, ne devrait-il pas avant tout tenir compte de ce sens?

C'est là que nous revenons à l'idée de «guérison». Quand on parle thérapie on a effectivement deux options: soit qu'on mette en place des dispositifs pour que le symptôme soit sous contrôle; soit qu'on rende la formation du symptôme superflue, en modifiant son infrastructure motivationnelle. Dans le premier cas, le sujet en ressent encore le besoin, mais contrôle l'acte devant satisfaire ce besoin, tandis que dans le deuxième cas, le sujet n'en ressent plus le besoin.

Maints thérapeutes, surtout ceux travaillant dans une optique psychodynamique, favoriseraient la deuxième option. Ils diraient en effet que la vraie thérapie se doit de passer par le sens des choses, et non par leur incidence. D'autres, trouvant ce chemin trop long ou onéreux, choisiront d'interférer avec le symptôme, peu importe son sens.

Le choix de l'une ou de l'autre de ces options, ne devrait-il pas avant tout être inspiré du type d'abuseur dont il s'agit? C'est là notre opinion. Même si nous nous considérons d'optique psychodynamique, nous ne croyons pas qu'il faille généraliser le même traitement «en profondeur» à tout abuseur.

Ce n'est que l'expérience clinique qui peut guider le clinicien dans son choix. Cette expérience, entr'autre chose, dit ceci: certaines conditions de base doivent être présentes pour qu'on puisse prétendre au réaménagement réel de la psyché d'un individu. Parmi ces conditions on trouve: la présence d'une capacité de mentalisation, une capacité d'investir l'autre, un minimum d'intérêt pour sa propre vie intrapsychique, une souffrance suffisante pour vouloir y changer quelque chose et, bien sûr, un malaise suffisant quant au symptôme.

On remarquera immédiatement que cela exclut au départ nombre d'abuseurs. Même si chaque cas mérite d'être considéré «au mérite» et qu'il est toujours dangereux — là encore — de fonctionner par «classes» ou types, au risque de paraître naïf ou réductionniste, voici un essai de catégorisation:

— Les deux types de carencés ne sont point accessibles au traitement en profondeur. Ils manquent la capacité de mentalisation nécessaire à un réel réaménagement. Cette capacité ne se constitue pas, malgré les efforts que, quelquefois, thérapeute et patient déploient. Les autres conditions sont aussi plutôt absentes chez ces types.

— Le registre psychotique est déjà plus ambigu et les abuseurs appartenant à ce type méritent d'être considérés cas par cas. La difficulté ici réside surtout dans la capacité d'investir l'autre. Pourtant, la mentalisation ne faisant habituellement point défaut, le traitement peut avoir du sens pour peu que le sujet désire s'y engager réellement.

— Le registre narcissique ne peut être également traité comme un tout uniforme. Le pervers peut souvent avoir une capacité de mentalisation suffisante mais, souffre-t-il? L'expérience démontre un intérêt très mitigé de se couper de sa source de plaisir, *i.e.* le scénario pervers. Le traitement dure d'habitude le temps de l'ordonnance de la Cour. La souffrance peut éventuellement être infligée — mais à quel prix d'effort et de temps thérapeutiques!

La même chose doit être dite du psychopathe. Plus, le traitement de celui-ci rencontre encore davantage d'écueils que celui du pervers, surtout par l'absence de mentalisation au profit de l'agir. Rappelons la fameuse expression de Cleckley (1976), selon laquelle la thérapie du psychopathe ne serait pas plus facile que l'ablation chirurgicale de la vésicule biliaire à un lièvre en pleine course!

Quant au paranoïaque, la situation ressemble peut-être davantage à celle du registre psychotique. Tout dépend ici de l'étanchéité de la délusion persécutrice.

— Le registre névrotique est certes celui qui répond le plus aux critères pour prétendre au traitement en profondeur bien que, ici encore, la situation doit être étudiée cas par cas. Cette étude ne peut faire l'économie d'un regard sur le coût-bénéfice d'une telle entreprise. Notre expérience démontre néanmoins ici des résultats probants.

— Les sujets souffrant de troubles organiques et d'une déficience mentale ne sont point accessibles au traitement en profondeur mais le sont probablement à certaines formes de modification du comportement.

Cela dit, il devient évident qu'on ne peut écarter d'un revers de la main l'alternative au «réel traitement». Cette alternative sera bien toujours le travail sur le symptôme même si quelquefois, on le trouve naïf. Devant un agir aussi destructeur que l'abus sexuel, le premier objectif de l'action du thérapeute est certes d'interférer avec le symptôme. Comme il a été vu plus haut, la majorité des abuseurs ne sont pas atteignables par autre chose que par une intervention centrée sur le symptôme. Le clinicien pourra être très satisfait de soi s'il réussit à endiguer ainsi l'agir. Il ferait toutefois mieux, dans ces cas, de ne point prétendre avoir guéri.

— *Éducation*

Une alternative existe néanmoins au traitement, bien qu'on peut la situer davantage dans le registre éducatif que dans le registre thérapeutique. Il s'agit, bien entendu, de l'éducation en ce qui concerne le rôle parental. Apprendre comment être parent a probablement son utilité pour tout être qui met des enfants au monde. Pour l'abuseur, cela peut être crucial pour autant qu'il a des visées de continuer à être parent (ses visées ne coïncident toutefois pas toujours avec celles des instances sociales et judiciaires). Reste que l'énoncé des principes qui doivent régir les relations parents-enfants peuvent être utiles à plus d'une enseigne. Les garder en tête peut guider également les efforts de réhabilitation de l'enfant abusé, en ce qu'elles détermineront les stratégies de réparation et la mise en place d'une structure parentale de rechange.

Quels sont les principes de base qui président aux relations parents-enfants eu égard à la sexualité? Le premier et, sans contredit, le plus fondamental réside dans l'*Interdit* quant à l'agir. On ne peut nier, au départ, qu'il existe des désirs érotisés dans le côtoiement quotidien entre parents et enfants. Ces désirs, en soi, sont sains et constituent des organisateurs importants dans le développement psycho-sexuel de l'enfant. Toutefois, le parent se doit d'énoncer clairement l'interdit quant au passage à l'acte, sinon, le plus important organisateur du développement, c'est-à-dire la distance entre les générations, se fera fracasser. Cette distance, le parent doit constamment la garder à l'esprit. Il fait partie de la génération des adultes, ce qui implique qu'il aura des prérogatives d'adulte, et qu'il cherchera satisfaction de ses besoins auprès d'autres représentants de sa génération. Mais cette distance voudra dire aussi qu'il voit l'enfant comme appartenant à une autre génération que la sienne: l'enfant est un être en devenir, en plein développement, avec des besoins et désirs qui sont ceux d'un enfant. L'enfant, de son côté, veut néanmoins constamment nier ou même annuler cette distance entre les générations, puisqu'elle le renvoie à sa propre incomplétude et petitesse. Il voudrait bien pouvoir faire l'économie du long processus de maturation et pouvoir rejoindre le parent immédiatement. Ce qui veut dire, entr'autre chose, il veut être objet de satisfaction sexuelle pour l'adulte et devenir ainsi — virtuellement — membre de la génération adulte. Le danger existe que certains adultes méprennent ce désir infantile pour un désir légitime et jouent de connivence, y inclus dans le registre sexuel! L'adulte a plutôt à se poser devant l'enfant comme partie prenante de la génération tant convoitée par l'enfant, et poser l'interdit. Grâce à cette distance maintenue par le parent, l'enfant parviendra à concéder au parent une supériorité en termes de force et de maturité, ce qui lui permettra d'accepter ses règles et ses interdits. Il s'agit là d'une des conditions nécessaires pour que l'enfant puisse lui-même évoluer vers l'état adulte, vers une identité séparée respectant les règles sociétales.

La distance crée donc pour l'enfant l'écart nécessaire à la construction d'un idéal du moi, personnifié par le parent. L'idéal du moi aidera l'enfant à supporter le délai, l'attente, l'absence et encouragera aussi l'effort, puisque, l'enfant continue de désirer. En fait, l'interdit sert l'étanchéité du refoulement parental et encourage le même refoulement chez l'enfant qui, de ce fait, pourra préserver sa vie psychique et ses chances d'individuation.

Toutefois, quand la sexualité passe à l'agir par la connivence parentale, il y a abolition radicale de la distance entre les générations. En effet, l'adulte s'allie alors résolument à la pulsion régressive de l'enfant en proposant une fusion investie d'une immense charge libidinale et agressive. L'adulte disparaît par le fait même en tant qu'objet de désir et pousse l'enfant vers l'illusion de l'avoir rejoint prématurément. L'enfant se dissout ainsi dans l'indifférenciation d'un monde sans aînés, donc sans distance, sans désir.

Nombre de parents, et d'adultes, (parmi eux, les abuseurs) ne posent point l'interdit vivifiant. Soit que cet interdit n'ait jamais existé dans leur propre vie d'enfant, soit que, pour une raison ou une autre, leur capacité de le poser a été sérieusement ébranlée. Ce qui est en effet caractéristique chez beaucoup d'abuseurs, c'est cette facilité de prendre l'enfant comme objet de satisfaction, *comme si l'enfant était leur égal* en termes générationnels. Ceci sera d'ailleurs fréquemment le cas: abuseur et enfant, psychologiquement parlant, font partie de la même génération — celle des enfants! D'autres fois, il s'agit tout simplement, chez l'adulte, d'une absence de structure psychique susceptible de marquer la distance.

On dira alors que tel ou tel ne connaît pas «le tabou» de l'inceste.

On parle dans cette section d'éducation. La question dès lors doit se poser: maintenir la distance intergénérationnelle, est-ce que cela s'apprend? La réponse n'est pas simple. Il y a probablement une nuance à faire entre apprendre et comprendre. Au risque de tomber dans le jeu de mots on pourrait dire que les uns apprendront mais ne comprendont pas (par exemple: les carencés), les autres comprendront mais n'apprendront pas (par exemple: les psychopathes). Encore là, c'est peut-être seulement les névrotiques qui feront les deux et, de ce fait, ils sont les vrais candidats pour une démarche éducative. Malgré cela, cette démarche éducative peut être tentée avec tout abuseur. Le représentant de l'appareil social ou judiciaire se place devant l'abuseur comme un père symbolique qui pose — à son niveau — l'interdit: «Tu ne chercheras plus satisfaction auprès de l'enfant». Cet interdit devrait être élaboré sur un plan cognitif: les conséquences pour l'enfant d'une brisure de l'interdit. Nous ne sommes pas dupes — l'apprentissage cognitif est rarement suffisante pour endiguer une poussée pulsionnelle aussi importante. Si, toutefois, on crée une structure qui continue implicitement ou explicitement d'affirmer l'interdit, cette structure peut agir comme un puissant agent conditionnant et inhibant. C'est là, probablement, que certains groupes de rencontres (style Abuseurs Anonymes), ou même des mesures de probation, peuvent avoir leur sens. Chose certaine, l'abuseur a besoin, lui-même, d'un père interdicteur pour qu'il puisse le moindrement s'interdire le passage à l'acte. Il est vrai que, par ses activités abusives, il a «bousillé» irréversiblement la structure d'interdiction dans sa propre relation de parent avec ses enfants (du moins dans une situation d'abus intrafamilial) mais il sera, dans le meilleur des cas, à l'abri d'abus ultérieurs.

Cette «prise en charge» par un parent symbolique qui contrôle dorénavant l'adulte-parent abuseur, peut également avoir une retombée réparatrice pour l'enfant abusé, et cela particulièrement dans le cas de l'inceste. Pour étayer cette idée, voici une parenthèse. Il a été fréquemment observé que les conséquences pour l'enfant d'un inceste intergénérationnel sont moins graves si, dans la famille, un autre mâle adulte figurait comme père-roue-de-secours et qui maintenait malgré tout une certaine structure d'interdit et, de là, une distance entre les générations. Dans ce cas, le père abuseur s'autodétruit comme père (devient donc en quelque sorte pair plutôt que père) pendant que la fonction paternelle est néanmoins préservée grâce à la relation que l'enfant maintient avec un père substitut (par exemple: le grand-père qui vit avec la famille). De la même façon, on peut s'imaginer que le représentant de l'appareil social ou judiciaire peut — *in extremis* — sauver dans le psychisme de l'enfant quelques miettes de la loi paternelle. Pour ce faire, il est important que l'enfant se rende compte que ce vrai père (par exemple: le juge) désavoue le faux père (le père abuseur) et le relève de sa fonction paternelle tordue. C'est peut-être dans la mesure où l'enfant pourra ainsi désavouer lui-même le faux père et banaliser son rôle, qu'il pourra un tant soit peu adhérer à une parole paternelle — *i.e.* un interdit — venant d'ailleurs.

Maintes fois nous avons vu qu'après les événements incestueux — après détection — le père abuseur, plein de bonnes intentions, tente de reprendre la réelle fonction paternelle et devient quelquefois d'une sévérité exemplaire sinon exagérée. C'est peine perdue. Il ferait mieux d'accepter que, s'il veut effectivement continuer à faire partie de la famille, son rôle possible sera celui d'un pair bienveillant pour son enfant abusé plutôt qu'un père dans le vrai sens du mot. Pour cet enfant, la fonction paternelle ne peut plus être assumée que par un "autre", seul capable de poser l'interdit.

Tableaux synoptiques

Tableau des entités nosologiques dans lesquels on rencontre des types spécifiques d'abuseurs sexuels

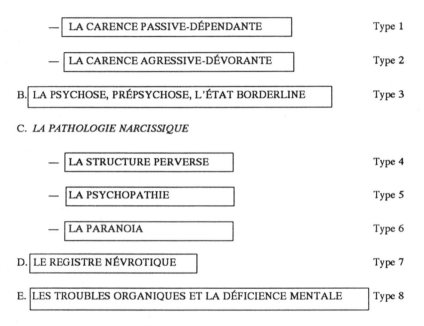

A. *LA CARENCE*

— LA CARENCE PASSIVE-DÉPENDANTE   Type 1

— LA CARENCE AGRESSIVE-DÉVORANTE   Type 2

B. LA PSYCHOSE, PRÉPSYCHOSE, L'ÉTAT BORDERLINE   Type 3

C. *LA PATHOLOGIE NARCISSIQUE*

— LA STRUCTURE PERVERSE   Type 4

— LA PSYCHOPATHIE   Type 5

— LA PARANOIA   Type 6

D. LE REGISTRE NÉVROTIQUE   Type 7

E. LES TROUBLES ORGANIQUES ET LA DÉFICIENCE MENTALE   Type 8

Type 1
LA CARENCE PASSIVE-DÉPENDANTE

Éléments étiologiques

Manque flagrant de stabilité dans le contact avec une figure maternante en bas âge (par exemple: enfants de crèche; enfants «ballottés» dans les deux premières années de leur vie). Histoire d'un «subir passivement» sans mobilisation d'agressivité. Reste donc «bouche-ouverte-non-dentée».

Caractéristiques de la relation et du discours

Grande avidité orale; collant; vide émotif; relations en feu de paille; instabilité; aucune mentalisation; embrouillé quant aux dimensions temporelles et spatiales; manque d'inhibition dans le contact.

Éléments contretransférentiels

Ambivalence de la part du clinicien: désir de réparer ou de l'«adopter» *vs* désir de le rejeter ou désintérêt. Malaise devant le comportement «incorporatif».

Nature de l'abus sexuel

Extra et/ou intrafamilial; homo et/ou hétérosexuel; extrafamilial: frottage, masturbation, fellation — style «touch & run». Choisit l'enfant parce que: plus facile, conforme à sa propre sexualité infantile, peur de la femme mature. Intrafamilial: inceste endogame et/ou inceste impérial, «maternage» primitif mutuel.

Sens de l'abus sexuel

Incorporation (faire le plein pour faire taire sensation récurrente du vide), «sucer» naïvement un peu de contact affectif. La sexualisation des contacts est vue et apprise comme seule manière de se donner «affection».

Autres formes d'agir illicite

Vol, vol à l'étalage, chèques sans provision, toxicomanies (surtout alcool), «homme de main» (dans gang).

Facteurs déclencheurs de l'abus

Tout carencé est abuseur potentiel. Abusé comme enfant, il abusera. Début souvent après «frustration»: grossesse de la compagne, séparation, perte d'emploi.

Type 2
LA CARENCE AGRESSIVE-DÉVORANTE

Éléments étiologiques

Manque flagrant de stabilité dans le contact avec une figure maternante en bas âge (par exemple: enfants de crèche; enfants «ballottés» dans les deux premières années de leur vie). Mobilise son agressivité et développe «rage orale» à double but: se gratifier mais aussi punir. Devient donc «bouche-ou-verte- qui-mord».

Caractéristiques de la relation et du discours

Grande avidité dévorante. Revendication constante. Se gave, mais en se gavant, «brise» pour punir. Manque total d'inhibition; intrusif; usurpe l'espace physique et psychique de l'autre, souvent de façon ostentative.

Éléments contretransférentiels

L'avidité pantagruélique fait peur et, même, repousse. Disparition rapide, chez le clinicien, de sympathie réparatrice et d'empathie.

Nature de l'abus sexuel

Extra et/ou intrafamilial; homo et/ou hétérosexuel. Attitude de: «je prends ce qui me tente». Gestes violents et scabreux. Dans l'abus intrafamilial: inceste impérial, impose sa loi. Abus sexuel souvent accompagné de sévices physiques importants.

Sens de l'abus sexuel

Double sens: incorporation (faire le plein pour endiguer sensation du vide), mais aussi attaquer et punir le «sein frustrant»

Autres formes d'agir illicite

Vol, vol à l'étalage, exploitation agressive. Fraude, toxicomanie et alcoolisme.

Facteurs déclencheurs de l'abus

Idem que carence passive-dépendante.

Type 3
LA PSYCHOSE, LA PRÉPSYCHOSE, L'ÉTAT «BORDERLINE»

Éléments étiologiques

Causes de natures diverses: neuro-bio-chimique; toxique, psychologique (par exemple: symbiose mère-enfant, désir mortifère parental, etc.). Ces causes déterminent sensation (et angoisse) de morcellement, endiguée par divers mécanismes restitutionnels.

Caractéristiques de la relation et du discours

Angoisse existentielle et de morcellement. Faible contact avec la réalité (temps, espace, causalité); émotions incohérentes ou impertinentes; sensations ou perceptions hypocondriaques et autres distortions corporelles; grande difficulté d'engagement et d'attachement; contact «faux», étrange, non objectal. Éléments restitutionnels multiples: idéation délusionnelle ou délirante; discours élaboré et recherché; hypertrophie du langage et des «mots»; intérêts «pseudo-identifiants»; relation fusionnelle ou symbiotique.

Éléments contretransférentiels

Sentiment de non-investissement et d'aliénation. Pourtant ce patient fascine; il parle de et à «l'inconscient». Le clinicien est attiré par le désir fusionnel, mais tente aussi de l'éviter par une mise à distance.

Nature de l'abus sexuel

«Intrusion psychotique» aussi, inceste endogame (sexualisation des liens intrafamiliaux). Également abus sexuel idéologique (rites à saveur pseudo-religieuses et fusionnelles). Agressions «insensées» (bizarres).

Sens de l'abus sexuel

Absence de frontière entre soi et l'autre: l'autre devient donc excroissance de son propre désir. Le sens en est toujours d'ordre restitutionnel, c'est-à-dire pour endiguer sensation de morcellement.

Autres formes d'agir illicite

Rares: délits ou crimes bizarres, insensés (non inspirés par l'appât du gain ou de la jouissance, c'est-à-dire non-répondant à une causalité objectale).

Facteurs déclencheurs de l'abus

Avoir été victime d'abus. Avoir adopté la sexualité comme activité restitutionnelle.

Type 4
LA STRUCTURE PERVERSE
(1er sous-type de la PATHOLOGIE NARCISSIQUE)

Éléments étiologiques

Lien dyadique avec la figure maternelle laissant l'enfant dans l'illusion spéculaire de sa propre toute-puissance. Sexualisation précoce et pervertisation des liens affectifs comme gages de son intégrité narcissique.

Caractéristiques de la relation et du discours

Fonctionne sur un plan unitaire: libre d'angoisse de morcellement, causalité objectale. Charmeur, séducteur, désir de perfection. Sentiments de complétude et d'invulnérabilité. Créateur et rivé sur l'esthétique. Se présente pourtant de façon soumise et «honnête» mais ne défend pas moins son territoire pervers.

Éléments contretransférentiels

Ambivalence. L'érotisation des liens crée chez le clinicien une certaine mise à distance, tandis que «l'esthéticisme» peut le fasciner et le séduire.

Nature de l'abus sexuel

Pédophilie homosexuelle. Pédophilie hétérosexuelle (comme évitement de la dimension homosexuelle). Subtile, prudente et patiente séduction de l'enfant («gentil monsieur»). Aussi pédérastie: projection dans le garçon beau et pur de son propre désir de perfection narcissique. Perversion polymorphe.

Sens de l'abus sexuel

La création d'un scénario pervers afin de maintenir un «high» narcissique, lui-même gage de maintien de l'illusion de la complétude.

Autres formes d'agir illicite

Toxicomanies dans le but d'un maintien du même «high».

Facteurs déclencheurs de l'abus

L'abus étant égosyntone, l'opportunité déterminera son occurrence. Le pervers peut inhiber ses élans à cause de considérations esthétiques, humanitaires ou morales.

Type 5
LA PSYCHOPATHIE
(2e sous-type de la PATHOLOGIE NARCISSIQUE)

Éléments étiologiques

Lien dyadique avec la figure maternelle laissant l'enfant dans l'illusion spéculaire de sa propre toute-puissance. Alternance toutefois, de la part de la figure maternelle, de rejet et de «récupération», ce qui pousse l'enfant à s'accrocher avec acharnement à son illusion de toute-puissance.

Caractéristiques de la relation et du discours

Fonctionnement unitaire. Libre d'angoisse et de culpabilité, charme, séduction, manipulation. Se présente comme une exception; se voit invulnérable, grandiose; loi du «tout ou rien»; ses troubles sont attribués à l'autre, celui-ci est traité comme outil.

Éléments contretransférentiels

Ambivalence: fascination à cause de la projection de la grandiosité (le clinicien se sent donc narcissiquement investi) créant un certain élan complice; d'autre part, l'attitude défensive contre le leurre est à peine déguisé.

Nature de l'abus sexuel

«Tout va», selon les opportunités. Abus hétérosexuel surtout; homosexuel si l'autre sexe n'est pas disponible.

Sens de l'abus sexuel

Se procurer un «high» narcissique; exploitation; affirmation de son pouvoir; recherche de jouissance immédiate ou de profit.

Autres formes d'agir illicite

L'abus sexuel est ici une forme d'agir parmi beaucoup d'autres. Ces agirs se situent dans tous les domaines et ont pour but le gain, le pouvoir, le sexe, le «thrill».

Facteurs déclencheurs de l'abus

L'abus étant égosyntone, l'opportunité seule, déterminera son occurrence.

Type 6
LA PARANOÏA
(3e sous-type de la PATHOLOGIE NARCISSIQUE)

Éléments étiologiques

Lien dyadique avec la figure maternelle laissant l'enfant dans l'illusion de sa propre toute-puissance (d'où sensations de grandeur). Toutefois, un milieu (un père?) relativement restrictif et conformiste, «interdit» la dimension homosexuelle du narcissisme (d'où délusions de persécution).

Caractéristiques de la relation et du discours

Beaucoup de projection; délusion de grandeur et de persécution; méfiance; argumentations sans fin; indignations, questions, moralisations et constructions idéationnelles. Sentiment aigu de justice.

Éléments contretransférentiels

Le clinicien est ballotté entre la fascination (devant les constructions idéationnelles et les «preuves») et le malaise devant l'élan persécutoire et devant l'absolutisme de cet homme qui finit par être perçu comme dangereux.

Nature de l'abus sexuel

Surtout intrafamilial. Inceste impérial et inceste endogame. Élément pédophile pouvant être homo ou hétérosexuel.

Sens de l'abus sexuel

Éviter élans homosexuels non acceptés (l'enfant étant le «compromis»). Punir ou exciser le mal projeté dans l'enfant. Impérialisme sexuel (manifestation de la grandeur).

Autres formes d'agir illicite

Délits (rares) obéissant à une mission; délits idéologiques; délits dirigés contre le présumé persécuteur.

Facteurs déclencheurs de l'abus

L'occurrence de l'abus est immensément plus rare que dans les deux autres sous-types narcissiques. S'il survient, il sera souvent dicté par une panique homosexuelle (situationnelle).

Type 7
LE REGISTRE NÉVROTIQUE

Éléments étiologiques

Développement caractérisé par l'acquisition de la relation objectale. De par une différenciation du «monde maternel», l'autre est perçu comme «autre» et non plus comme une excroissance de ses propres désirs ou besoins.

Caractéristiques de la relation et du discours

Émois relationnels (culpabilité, doute, insécurité, anxiété relationnelle). Ces émois ont à faire avec les relatives réussites ou échecs à s'assurer la disponibilité de l'objet d'amour. Comme abuseur, le névrotique se sent coupable, est préoccupé de sa victime, il veut changer. Son discours est cohérent, causal et objectal.

Éléments contretransférentiels

Étant sollicité sur le plan relationnel, le clinicien «répond» sur le même plan. Point de difficulté à investir ce patient ni à ressentir de l'empathie.

Nature de l'abus sexuel

Contact sexuel fortuit; jeux ambigus, habitudes familiales naïves, éducation sexuelle trop «audio-visuelle». Formes plus graves et destructrices dans le cas du caractrère oral-dépressif.

Sens de l'abus sexuel

Agirs contraphobiques, réactionnels, compulsifs. Accident de parcours (souvent reliés à l'abus d'alcool). Dans le cas du caractère oral-dépressif, l'abus peut correspondre à un équivalent suicidaire.

Autres formes d'agir illicite

À l'instar de l'abus sexuel, une délinquance récurrente est relativement rare.

Facteurs déclencheurs de l'abus

Un événement ou une situation ébranle l'équilibre créant l'agir-symptôme de l'abus, surtout dans les cas abusés dans leur propre enfance.

Type 8
LES TROUBLES ORGANIQUES
ET LA DÉFICIENCE MENTALE

Éléments étiologiques

Causes organiques (neurologiques) et congénitales. Détérioration mentale due à: produits toxiques (drogues, alcool, etc.), sénilité, artériosclérose, traumata cérébraux. Conditions pathologiques les plus fréquentes: épilepsie temporale, troubles de la latéralisation cérébrale, déficience mentale (avec causes organiques variées).

Caractéristiques de la relation et du discours

Très variées selon le trouble spécifique. Attitude d'impuissance. Aveu, mais déni de «responsabilité».

Éléments contretransférentiels

Attitude «médicalisante» plutôt que psychologisante. Le clinicien se pose devant l'abus comme devant un «corps étranger» dépourvu de sens psychologique et se désintéresse facilement, soit du symptôme, soit de l'être derrière le symptôme.

Nature de l'abus sexuel

Là encore, très variée selon le trouble spécifique. Indices mentionnés dans la littérature: exhibitionnisme et masturbation devant l'enfant. La possibilité existe toujours que l'abus sexuel soit accompagné de violence physique.

Sens de l'abus sexuel

Absence d'apprentissage social ou moral. Désinhibition des contrôles corticaux. Tentative d'abréaction d'une tension par voie sexuelle.

Autres formes d'agir illicite

Autres gestes impulsifs et violents répondant au même mécanisme abréactionnel.

Facteurs déclencheurs de l'abus

Tout ce qui stimule le système nerveux central (émotion forte, drogue, alcool, ...).

RÉFÉRENCES

ABEL, G., BECKER, J., MURPHY, W., & FLANAGAN, B. (1981). Identifying dangerous child molesters. In R. Stuart (Ed.), *Violent Behavior*. New York: Brunner-Mazel.

ABEL, G., MITTELMAN, M. & BECKER, J. (1985). Sex offenders: Results of assessment and recommandations for treatment. In H. Ben-Aron, S. Hucker & C. Webster (Eds.), *Clinical criminology: Assessment and treatment of criminal behavior.* Toronto: M & M Graphics.

AMERICAN PSYCHIATRIC ASSOCIATION. (1980) *Diagnostic and statistical manual of mental disorders* (3rd ed.) Washington, DC: Author.

AMIR, R. (1971). *Patterns of Forcible Rape*. Chicago: University of Chicago Press.

AWAD, G., SAUNDERS, E., & LEVENE, J. (1984). A clinical study of male adolescent sexual offenders. *International Journal of Offender Therapy and Comparative Criminology, 28,* 105-115.

BECKER, J., KAPLAN, M., CUNNINGHAM-RATHNER, J., & KAVOUSSI, R. (1986). Characteristics of adolescent incest sexual perpetrators: Preliminary findings. *Journal of Family Violence, 1,* 85-97.

BELTRAMI, E. (1985, May). Affect and sexuality: a study of alexithymia in psychosomatics and sexual delinquents. Paper presented at the *12th Annual Meeting of the Association of Sex Therapists and Counselors.* Montréal.

BELTRAMI, E., & RAVART, M. (1986). Vingt ans après: impact des abus sexuels subis lors de l'adolescence. In A. Dupras, J. Levy et H. Cohen (Eds.), *Jeunesse et sexualité*: Actes du colloque. Montréal: Iris.

BELTRAMI, E., RAVART, M., & JACOB, J.A. (1987, June). Alexithymia in sexual delinquents. Paper presented at the *8th World Congress of Sexology*. Heidelberg.

BERGERET, J. (1975). *La dépression et les états-limites*. Paris: Payot.

BLUMBERG, M. (1978). Child sexual abuse. *Journal of Medicine, 78*, 612-616.

BOURGEOIS, M., BENEZECH, M., LAFORGE, E., TIGNOL, M., & DAUBECH, M. (1979). Comportements incestueux et psychopathologie. *Annales Medico-Psychologiques, 137*, 1008-1017.

BRANT, R., & TISZA, V. (1977). The sexually misused child. *American Journal of Orthopsychiatry, 47*, 80-90.

BURGESS, A., GROTH, N., & McCARSLIND, M. (1981). Child sex initiation rings. *American Journal of Psychiatry, 138*, 110-119.

CHAPMAN, J., & GATES, M. (1978). *The victimization of women*. Beverly Hills: Sage.

CHASSEGUET-SMIRGEL, J. (1984). *Éthique et esthétique de la perversion*. Paris: Champ Vallon.

CLECKLEY, H. (1976). *The mask of sanity* (5th edition). St-Louis: Mosby.

COHEN, M., SEGHORN, T., & CALMAS, W. (1969). Sociometric study of the sex offender. *Journal of Abnormal Psychology, 74,* 749-755.

COMITÉ DE LA PROTECTION DE LA JEUNESSE (1982). *L'inceste: Une histoire à trois et plus.* Gouvernement du Québec: Ministère de la justice.

COMITÉ DE LA PROTECTION DE LA JEUNESSE (1984). *La protection sociale des enfants victimes d'abus sexuels.* Gouvernement du Québec: Ministère de la justice.

de YOUNG, M. (1982). *The sexual victimization of children.* Jefferson: McFarland & Co.

DEUTSCH, H. (1965). *Neuroses and character types.* New York: International Universities Press.

DIX, G. (1975). Determining and continued dangerousness of psychologically abnormal sex offenders. *Journal of Psychiatry and Law, 3,* 327-344.

ELLIS, A., & BRANCALE, R. (1956). *The psychology of sex offenders.* Springfield: Thomas.

EPSTEIN, A. (1961). Relationship of fetishism and tranvestism to brain and particularly to temporal lobe dysfunction. *Journal of Nervous and Mental Disorders, 133,* 247-253.

FEHRENBACH, P., SMITH, W., MONASTERSKY, C., & DEISHER, R. (1986). Adolescent sexual offenders: Offender and offense characteristics. *American Journal of Orthopsychiatry, 56,* 225-233.

FENICHEL, O. (1945). *The psychoanalytic theory of neurosis.* New York: Norton.

FINKELHOR, D. (1984). *Child sexual abuse: New theory and research*. New York: Free Press.

FITCH, J.H. (1962). Men convicted of sexual offenses against children. *British Journal of Criminology, 3,* 18-37.

FLOR-HENRY, P. (1974). Psychosis, neurosis and epilepsy: Developmental and gender-related effects and their etiological contributions. *British Journal of Psychiatry, 124,* 144-150.

FREEMAN-LONGO, R., & WALL, R. (1986, March). Changing a lifetime of sexual crime. *Psychology Today,,* pp. 58-64.

FREUD, S. (1905). Three essays on the theory of sexuality. *Standard Edition, 7*. London: Hogarth Press, 1958.

FREUD, S. (1911). Psycho-analytic notes on an autobiographical account of a case of paranoïa. *Standard Edition, 12*. London: Hogarth Press, 1958.

FRISBIE, L. (1969). Another look at sex offenders in California. *California Mental Health Research Monograph*, no. 12.

FRITZ, G., STOLL, K., & WAGNER, N. (1981). A comparison of males and females who were sexually molested as children. *Journal of Sex and Marital Therapy, 7,* 17-24.

GEBHARD, P., GAGNON, J., POMEROY, W., & CHRISTENSEN, C. (1965). *Sex offenders: An analysis of types*. New York: Harper & Row.

GEISER, R. (1979). *Hidden victims*. Boston: Beacon Press.

GELINAS, D. (1983). The persisting negative effects of incest. *Psychiatry, 46,* 317-332.

GOUVERNEMENT DU CANADA (1984). *Infractions sexuelles à l'égard des enfants* (Rapport Badgley). Ottawa: Ministère des Approvisionnements et Services.

GROTH, N. (1978). Patterns of sexual assault against children and adolescents. In A. Wolbert-Burgess *et al.* (Eds.), *Sexual assault of children and adolescents.* Lexington: Lexington Books.

GROTH, N. (1982). The incest offender. In S. Sgroi (Ed.), *Handbook of clinical intervention in child sexual abuse.* Lexington: Lexington Books.

GROTH, N., & BIRNBAUM, H. (1979). *Men who rape: The psychology of the offender.* New York: Plenum.

GROTH, N., HOBSON, W., & GARY, T. (1982). The child molester: Clinical observations. *Journal of Social Work and Human Sexuality, 1,* 129-199.

GROTH, N., & WOLBERT-BURGESS, A. (1977). Motivational intent in sexual assault of children. *Criminal Justice & Behavior, 4,* 253-264.

GRUNBERGER, B. (1975). *Le Narcissisme.* Paris: Payot.

GUTTMACHER, M. (1951). *Sex Offenses: The Problem, Causes and Prevention.* New York: Norton.

HALEY, J. (1967). Toward a theory of pathological systems. In G. Zuk & I. Boszormenyi-Nagy (Eds.), *Family Therapy and Disturbed Families.* Palo Alto: Science & Behavior Books.

HOWELLS, K. (1981). Adult sexual interest in children: Considerations relevant to theories of aetiology. In M. Cook & K. Howells (Eds.), *Adult sexual interest in children*. London: Academic Press.

JACOBSON, E. (1964). *The self and the object world*. New York: International Universities Press.

KARPMAN, B. (1954). *The sexual offender and his offenses*. New York: Julian.

KERNBERG, O. (1975). *Borderline Conditions and Pathological Narcissism*. New York: Jason Aronson.

KOHUT, H. (1971). *The Analysis of the Self*. New York: International Universities Press.

KOPP, S. (1962). The character structure of sex offenders. *American Journal of Psychotherpay, 16*, 64-70.

LANGEVIN, R. (1985). *Erotic preference, gender identity, and agression in men: New research studies*. London: Lawrence Erlbaum Associates.

LEVIN, S., & STAVA, L. (1987). Personality characteristics of sex offenders: A review. *Archives of Sexual Behavior, 16*, 57-79.

LINEDECKER, L. (1981). *Children in chains*. New York: Everest House.

LONGO, R. (1982). Sexual learning and experience among adolescent sexual offenders. *International Journal of Offender Therapy and Comparative Criminology, 26*, 235-241.

LONGO, R., & GROTH, A. (1983). Juvenile sexual offenses in the histories of adult rapists and child molesters. *International Journal of Offender Therapy and Comparative Criminology, 27*, 150-155.

LUKIANOWICZ, H. (1972). Incest. *British Journal of Psychiatry, 120*, 301-313.

LUSTIG, N., DRESSER, J., SPELLMAN, S., & MURRAY, T. (1966). Incest. A family group survival pattern. *Archives of General Psychiatry, 14*, 31-40.

MAHLER, M. (1975). *The psychological birth of the human infant.* New York: Basic Books.

MARTY, P., & DE M'UZAN, M. (1963a). La pensée opératoire. *Revue française de psychanalyse, 77*, 345-356.

MARTY, P., & DE M'UZAN, M. (1963b). *L'investigation psychosomatique.* Paris: Presses Universitaires de France.

MAY, J.G. (1977). Sexual abuse: The undercover problems. *Current Problems in Pediatrics, 7*, 1-43.

MCCAGHY, C.H. (1967). Child molesters: A study of their careers as deviants. In M.B. Clinard & R. Quinney (Eds.), *Criminal behavior systems: A typology.* New York: Holt, Rinehart & Winston.

MCDOUGALL, J. (1982). *Théatres du Je.* Paris: Gallimard.

MEISELMAN, K. (1979). *Incest.* San Francisco: Jossey-Bass.

MOHR, J., TURNER, R., & JERRY, M. (1964). *Pedophilia and exhibitionism.* Toronto: University of Toronto Press.

MURPHY, W., COLEMAN, E., & ABEL, G. (1983b). Sexuality and the mentally retarded. In J.L. Matson (Ed.), *Treatment issues and innovations in mental retardation*. New York: Plenum Press.

MURPHY, W., COLEMAN, E., & HAYNES, M. (1983a). Treatment and evaluation issues with the mentally retarded sex offender. In J. Greer & I.R. Stuart (Eds.), *The sexual agressor*. New York: Van Nostrand.

NEMIAH, J.C., & SIFNEOS, P.E. (1970). Affect and fantasy in patients with psychosomatic disorders. *Psychosomatic Medecine, 2*, 26-34.

NICHTERM, S. (1982). The sociocultural and psychodynamic aspects of the acting-out and violent adolescent. *Adolescent Psychiatry, 10*, 140-146.

PANTON, J. (1979). MMPI Profile configurations associated with incestuous and non-incestuous child molesting. *Psychological Reports, 45*, 335-338.

PETERS, J.J. (1976). Children who are victims of sexual assault and the psychology of offenders. *American Journal of Psychotherapy, 30*, 398-421.

PRENTKY, R., COHEN, M., & SEGHORN, T. (1985). Development of a rational taxonomy for the classification of rapists: The Massachussetts Treatment Center System. *Bulletin of the American Academy of Psychiatry and Law, 13*, 39-70.

QUINSEY, V., & BERGERSEN, S. (1976). Instructional control of penile circumference. *Behavior Therapy, 7*, 489-493.

RADA, R. (1978). *Clinical Aspects of the Rapist*. New York: Grune & Stratton.

RADA, R.T. (1976). Alcoholism and the child molester. *Annals of the New York Academic Science, 273*, 492-496.

ROSENFELD, A. (1985, April). Discovering and dealing with deviant sex. *Psychology Today*, pp. 8-9.

SEGHORN, T., & BOUCHER, R. (1979, September). Sexual abuse in childhood as a factor in adult sexually dangerous criminal offenses. *Enfance et Sexualité*. Symposium à l'Université du Québec à Montréal.

SELLING, L. (1939). Types of behavior manifested by feeble-minded sex offenders. *Proceedings from the American Association on Mental Deficiency, 44*, 178-186.

SGROI, S. (1982). *Handbook of clinical intervention in child sexual abuse*. Lexington: Lexington Books.

SGROI, S., BLICK, L., & PORTER, F. (1982). A conceptual framework for child sexual abuse. In S. Sgroi (Ed.), *Handbook of clinical intervention in child sexual abuse*. Lexington: Lexington Books.

SIFNEOS, P.E., APFEL-SAVITZ, R., & FRANKEL, F.H. (1977). The phenomenon of alexithymia. *Psychotherapeutics psychosomatics, 28*, 45-57.

SONDEN, T. (1936). Incest crimes in Sweden and their causes. *Acta Psychiatrica et Neurologica, 11*, 379-401.

SPENCER, J. (1978). Father-daughter incest. *Child Welfare, 57*, 581-589.

SPITZ, R. (1965). *The first year of life*. New York: International Universities Press.

SUMMIT, R., & KRYSO, J. (1978). Sexual abuse of children: A clinical spectrum. *American Journal of Orthopsychiatry, 48*, 237-251.

SWANSON, D. (1968). Adult sexual abuse of children (The man and circumstances). *Diseases of the Nervous System, 29*, 677-683.

THOMAS, J. (1982). Juvenile sex offenders: Physician and parent communication. *Pediatric Annals, 11*, 807-812.

TOLLISON, D., & ADAMS, H. (1979). *Sexual Disorders*. New York: Gardner Press.

VAN DER MEY, B., & NEFF, R. (1982). Adult-child incest: A review of research and treatment. *Adolescence, 17*, 717-735.

VAN GIJSEGHEM, H. (1985). Autre regard sur les conséquences de l'inceste père-fille. *La Revue Canadienne de Psycho-Éducation, 14*, 138-145.

WEINBERG, S. (1955). *Incest Behavior*. New York: Citadel Press.

WEST, D.J. (1977). *Homosexuality re-examined*. London: Duckworth.

WINNICOTT, D.W. (1971). *Playing and reality*. New York: Basic Books.

WINNICOTT, D.W. (1965). *The maturational processes and the facilitating environment*. New York: International Universities Press.

YOCHELSON, S., & SAMENOW, S. (1976). *The criminal personality* (2 T.). New York: Aronson.

TABLE DES MATIÈRES

INTRODUCTION 9

DÉFINITIONS 13

LA LITTÉRATURE CONCERNANT L'ABUSEUR 19

GÉNÉRALITÉS 19

    a) Rôle de l'alcool 20

    b) Sexe de l'abuseur 21

    c) Proximité 22

    d) Ampleur et récidive 23

    e) L'abuseur, ancien abusé 24

LES TYPOLOGIES 25

    1) Les études typologiques utilisant comme point de
    référence l'âge de l'abuseur 26
    - Mohr, Turner et Jerry 26
    - West 27

    2) Les études typologiques utilisant comme point de
    référence la psychopathologie ou la motivation
    intrinsèque de l'abuseur 28
    - Weinberg 28
    - McCaghy 29
    - Cohen, Seghorn et Calmas 30
    - Summit et Kryso 31
    - Fitch 33
    - Rada I 34
    - Rada II 36
    - Autres typologies de violeurs 37

3) Les études typologiques utilisant comme point de
référence l'orientation sexuelle ou la préférence
sexuelle de l'abuseur   37
- Langevin   37

- de Young   38

4) Les études typologiques utilisant comme point de
référence le degré de violence utilisé par l'abuseur . .   40
- Gebhard *et al.*   40

- Groth *et al.*   43

- Prentky *et al.*   47

**REMARQUES CRITIQUES SUR LA LITTÉRATURE
TYPOLOGIQUE ET TRAIT D'UNION AVEC LA
PRÉSENTE ÉTUDE**   49

**REMARQUES CONCERNANT LE CRITÈRE ADOPTÉ:
LA RELATION OBJECTALE ET SES AVATARS**   57

CONSIDÉRATIONS MÉTHODOLOGIQUES   65

**PROFIL DES DIVERS TYPES D'AGRESSEURS
SEXUELS**   71

- Remarques préliminaires sur le conflit et ses exutoires,
y inclus ceux qui ont trait à la sexualité   71

- Remarque préliminaire sur les sources
bibliographiques   73

a) La CARENCE   74
- Considérations générales quant à l'étiologie
des carences   74

- Considérations générales quant aux caractéristiques
cliniques communes aux types de carence.   75

1) Premier sous-type: La CARENCE
   PASSIVE-DÉPENDANTE   76
   - Éléments étiologiques distinctifs   76
   - Caractéristiques distinctives de la relation
     et du discours   76
   - Éléments contretransférentiels   77
   - Nature de l'abus sexuel   77
   - Sens de l'abus sexuel   78
   - Autres formes d'agir illicite.   79
   Vignette 1   79
   Vignette 2   80
   Vignette 3   81
   Vignette 4   82

2) Le deuxième sous-type: LA CARENCE
   AGRESSIVE-DÉVORANTE   84
   - Éléments étiologiques distinctifs   84
   - Caractéristiques distinctes de la relation et
     du discours   84
   - Éléments contretransférentiels   85
   - Nature de l'abus sexuel   86
   - Sens de l'abus sexuel   86
   - Autres formes d'agir illicite   87
   Vignette 1   87
   Vignette 2   88
   Vignette 3   89
   - Quel carencé sera abuseur et lequel
     ne le sera pas?   90

b) La PSYCHOSE, PRÉPSYCHOSE,
   L'ÉTAT «BORDERLINE»   92
   - Remarque préliminaire   92

- Considérations étiologiques 93

- Caractéristiques de la relation et du discours 94

- Éléments contretransférentiels 95

- Nature de l'abus sexuel 96

- Sens de l'abus sexuel 96

- Autres formes d'agir illicite 97

- Conditions menant à l'abus 97

Vignette 1 98

Vignette 2 99

Vignette 3 100

c) La PATHOLOGIE NARCISSIQUE 101

- Considérations générales quant à l'étiologie des
  pathologies narcissiques 101

- Considérations générales quant aux caractéristiques
  cliniques des pathologies narcissiques 102

1) Premier sous-type: La STRUCTURE PERVERSE . . . 103
- Remarque préliminaire 103

- Éléments étiologiques distinctifs 103

- Caractéristiques distinctives de la relation
  et du discours 104

- Éléments contretransférentiels 104

- Nature de l'abus sexuel 105

- Sens de l'abus sexuel 107

- Autres formes d'agir illicite 107

Vignette 1 108

Vignette 2 109

Vignette 3 110

Vignette 4 111

2) Deuxième sous-type: La PSYCHOPATHIE 112
   - Éléments étiologiques distinctifs 112

   - Caractéristiques distinctives de la relation et
     du discours 113

   - Éléments contretransférentiels 114

   - Nature de l'abus sexuel 115

   - Sens de l'abus sexuel 115

   - Autres formes d'agir illicite 116

   Vignette 1 116

   Vignette 2 117

   Vignette 3 118

3) Troisième sous-type: La PARANOÏA 119
   - Remarque préliminaire 119

   - Éléments étiologiques distinctifs 120

   - Caractéristiques distinctives de la relation et
     du discours 121

   - Éléments contretransférentiels 122

   - Nature de l'abus sexuel 123

   - Sens de l'abus sexuel 123

   - Autres formes d'agir illicite 124

   Vignette 1 125

   Vignette 2 126

   Vignette 3 127

   - Conditions menant à l'abus
     (pour les trois sous-types narcissiques) 128

d) Le REGISTRE NÉVROTIQUE 129
   - Considérations étiologiques 129

   - Caractéristiques de la relation et du discours 131

   - Éléments contretransférentiels 132

   - Nature de l'abus sexuel 132

- Sens de l'abus sexuel 133

- Autres formes d'agir illicite 134

- Conditions menant à l'abus 134

Vignette 1 135

Vignette 2 136

Vignette 3 137

e) Les TROUBLES ORGANIQUES et la
   DÉFICIENCE MENTALE 138
   - Remarque préliminaire 138
   - Considérations étiologiques 138
   - Caractéristiques de la relation et du discours 139
   - Éléments contretransférentiels 140
   - Nature de l'abus sexuel 140
   - Sens de l'abus sexuel 140
   - Autres formes d'agir illicite 141
   - Facteurs déclencheurs de l'abus 141

TRAITEMENT 143

  - Thérapie 143

  - Éducation 148

Tableaux synoptiques 155

Références 165